Poussière mortelle

Allen Sharp

Poussière mortelle

Traduit de l'anglais
par Sandrine Verspieren

HACHETTE
Jeunesse

SÉRIE *SHERLOCK HOLMES* DANS LA BIBLIOTHÈQUE VERTE

L'affaire Mo Hort
Les sabots du diable
L'héritière terrorisée
Les nobles conspiratrices
La maison évanouie

L'édition originale de ce roman
a paru en langue anglaise
sous le titre :

THE CASE OF THE BUCHANAN CURSE

© Cambridge University Press, 1990.
© Hachette, 1992.

79, boulevard Saint-Germain, 75006 Paris

Avant-propos

En 1881, alors qu'il travaillait au laboratoire de chimie de l'hôpital St. Bartholomew de
Londres, Sherlock Holmes fit la connaissance
du docteur John Watson, un médecin mili-
taire récemment rentré en Grande-Bretagne.
Celui-ci était en quête d'un logement, tandis que
Holmes, qui en avait trouvé un trop grand pour
lui seul, cherchait quelqu'un avec qui partager
son loyer. C'est ainsi que Holmes et Watson
emménagèrent au 221 B Baker Street, mar-
quant le début d'une coopération qui devait
durer plus de vingt ans, et faire du 221 B
Baker Street l'une des adresses les plus célèbres
de toute l'Angleterre.

Il faut en outre rendre hommage à Mrs. Hudson, la logeuse de Sherlock Holmes, qui s'accom-
moda d'un locataire dont les expériences chi-

miques diffusaient une odeur nauséabonde dans toute la maison, qui jouait du violon à n'importe quelle heure du jour ou de la nuit, qui conservait ses cigares dans le seau à charbon et qui plantait son couteau dans le manteau de la cheminée pour y accrocher son courrier!

Aussi n'est-ce que justice si, aujourd'hui, les seuls documents originaux attestant ces vingt années de collaboration sont en la possession de Mrs. Susan Stacey, la petite-nièce de cette même Mrs. Hudson. Outre trois carnets de notes du docteur Watson — ou, pour être plus exact, deux carnets et un agenda ayant fait office d'aide-mémoire —, cet héritage comprenait une collection insolite de lettres, coupures de presse, photographies et cartes postales. L'ensemble reste finalement assez anecdotique; les carnets ne contiennent aucun compte rendu complet, seulement des notes prises à la va-vite au cours des enquêtes. Par endroits, un document annexe a été épinglé ou collé sur une page de carnet. On y trouve également des esquisses au crayon et, surtout, bon nombre d'idées ou de questions griffonnées par Watson en attendant de pouvoir s'en ouvrir à Holmes.

Aujourd'hui, grâce aux carnets de Watson, complétés par les coupures de presse, rapports de police et autres renseignements contenus dans cette masse de documents, il est enfin possible de reconstituer certaines des affaires traitées par Holmes et de les publier, pour la première fois. Des documents originaux ont été reproduits ici dans le but d'apporter une information, un indice susceptibles de mettre en lumière un point capital de l'affaire en question.

Il faut espérer en outre qu'ils rempliront un autre rôle : celui de faire vibrer le lecteur, de lui faire partager les mystères, parfois non dénués de danger, auxquels Watson, acteur et narrateur tout à la fois, fut confronté en s'associant avec Sherlock Holmes, cet homme souvent reconnu comme « le plus grand détective du monde ».

1

Quatre siècles de meurtres

Parmi les nombreuses aventures que me valut ma longue collaboration avec Sherlock Holmes, je crois pouvoir affirmer que l'épisode que je m'apprête à relater compte au nombre des plus étranges et des plus terrifiantes. Pourtant, en relisant mes notes, couchées sur le papier il y a déjà fort longtemps, un détail curieux me frappe. Si l'on me demandait aujourd'hui quel aspect de l'affaire me paraît le plus extravagant, il me faudrait répondre : «le fait même que je me sois laissé entraîner dans pareille histoire!»

A l'époque, je ne partageais plus l'appartement de Holmes sur Baker Street. L'année précédente, j'avais épousé Mary

Morstan et acheté un modeste cabinet médical dans le quartier de Paddington. Je me sentais totalement comblé par la vie, qui m'offrait le dévouement d'une femme que j'aimais et l'exercice d'une profession que je chérissais entre toutes.

Quiconque eût alors suggéré que je pusse m'extraire de cette existence idyllique pour m'embarquer dans une expédition aussi lointaine qu'incertaine m'eût semblé privé de raison. Ce fut néanmoins ce qui arriva et, puisque aujourd'hui encore j'éprouve quelque difficulté à justifier rationnellement mes actes, je préfère relater par le menu la succession d'événements dont ils furent issus.

Le lundi 1er octobre 1888 au matin, j'entamai mes consultations de Praed Street sans supposer qu'elles pussent présenter le moindre caractère inhabituel. Une douzaine de patients étaient assis dans la salle d'attente, pour la plupart des clients réguliers, connaissant suffisamment la nature de leurs maux pour être en mesure d'effectuer eux-mêmes le diagnostic et de me dicter l'ordonnance. «C'est encore l'estomac, docteur. Il me faut ce flacon marron, avec le produit blanc, qu'on doit secouer avant usage. Si vous pouviez me prescrire le plus grand modèle, cela m'éviterait d'avoir à revenir. »

Ce n'est qu'après avoir reçu mes trois premiers patients que je commençai à subodorer quelque chose de peu commun. Chacun me parut moins préoccupé par son propre état que par l'opportunité qui lui était offerte, en ma personne, de recueillir des réponses autorisées au sujet de l'anatomie de l'abdomen féminin. Cet intérêt subit de mes clients pour un sujet aussi particulier n'était pas aussi incongru qu'il pouvait le paraître. J'aurais d'ailleurs dû le prévoir.

La raison en était une série de meurtres particulièrement atroces, dont le premier remontait au mois d'avril de cette même année. Il fallut que trois autres crimes du même ordre fussent perpétrés pour que l'on établît un lien entre eux. Cela se produisit en septembre et il n'est pas exagéré d'affirmer que, depuis, Londres vivait dans la peur. Les quatre meurtres avaient eu pour cadre l'East End de Londres, plus précisément le quartier d'Aldgate et de Whitechapel Road. Les victimes étaient toutes des femmes, qui plus est des prostituées. L'on pourrait supposer que ces événements avaient laissé froids les habitants de Westminster, par exemple, ou encore de Paddington, ou du moins qu'ils n'étaient pas de taille à susciter une angoisse collective. Ce serait omettre que septembre est le mois des premiers brouillards. Ces brouillards denses, opaques qui, la nuit, recouvrent la ville d'un épais manteau impénétrable et glacé. Même les sons sont étouffés, leur origine impossible à déterminer. Toutefois, on entendait clairement les voix des crieurs de journaux, ce mémorable soir où la dernière édition du *Star* étalait en lettres capitales sur sa une : « Les abominables meurtres de Whitechapel ». Chaque jour qui suivit, la presse inventa de nouveaux titres à sensation : « Du nouveau sur les meurtres de Whitechapel » ; « La police tenue en échec » ; « Le maniaque court toujours »... Quelque part dans la ville, protégé par l'obscurité, un tueur fou arpentait les rues. La police se montrait impuissante. Le meurtrier récidiverait, c'était certain. Mais quand ? Où ? Aucun Londonien ne le savait.

De fait, le tueur frappa de nouveau, et par deux fois, dans les toutes premières heures du dimanche 30 septembre, veille de ce lundi auquel je faisais référence plus haut. Le nombre des victimes se montait désormais à six, chacune ayant été affreusement mutilée à l'abdomen.

Bien que je m'expliquasse donc la curiosité morbide de mes patients, je me refusai à la satisfaire. En dépit de ma réserve, les consultations se prolongèrent fort tard. J'avais nourri le projet de repasser chez moi avant d'effectuer mes visites de la matinée. Vu l'heure avancée, je décidai de rentrer directement déjeuner, et de ne repartir en visites qu'après. J'ai souvenir qu'en arrivant à la maison je me félicitai de ma décision, car j'y trouvai un visiteur qui, après m'avoir attendu une heure déjà, s'apprêtait à s'en aller. Ce visiteur avait pour nom Sherlock Holmes.

N'ayant guère eu, depuis mon mariage, l'occasion de revoir mon vieil ami, je me montrai enchanté de cette rencontre. Nous échangeâmes les plaisanteries d'usage, puis j'expliquai la raison de mon retard. Je fis part de ma surprise de n'avoir pas vu le nom de Holmes mentionné dans les articles concernant ces crimes épouvantables, tout en avançant que mon ami avait dû recevoir de fréquentes visites des policiers de Scotland Yard.

«J'ai vu Lestrade récemment, acquiesça Holmes, mais le propos de notre entrevue

13

n'était pas les meurtres de Whitechapel. L'enquête a été confiée à l'inspecteur chef Abbeline dont le travail, à ce que l'on m'a dit, est supervisé par le commissaire Warren en personne. Vous n'ignorez pas, Watson, qu'Abbeline et moi-même avons peu de contacts. Quant au commissaire Warren, je doute que l'idée lui vienne de faire appel à moi. Sans avoir directement collaboré avec lui, je suis sûr qu'il a eu connaissance de mon différend avec son prédécesseur, Henderson. Sans parler de Monro, qui ne s'est certainement pas privé de faire savoir tout le mal qu'il pense de moi, après mon rôle dans l'enquête sur les attentats à la bombe de Fenian.

« Mais je ne suis pas venu pour parler de moi. De votre côté, quelles sont les nouvelles ?

— Ma foi, rien qui puisse vous paraître digne d'intérêt. Je partage mon temps entre les petites misères de mes patients et une vie conjugale paisible. »

C'est alors que Mary entra, d'abord pour savoir si Holmes resterait déjeuner, ensuite pour m'informer qu'elle avait averti Holmes de ce qu'elle appelait *l'étrange affaire d'Edimbourg*. Lorsque mon ami eut accepté l'invitation, elle se retira dans la cuisine afin de veiller à la préparation du repas.

«Je suppose, Watson, que vous allez tout me dire au sujet de cette *étrange affaire d'Edimbourg*.»

C'était là un sujet que je n'aurais pas spontanément songé à évoquer, mais l'intervention de ma femme ne me laissait plus guère le choix. Je priai Holmes de me dire ce qu'il savait déjà.

«Pas grand-chose, sinon que l'histoire vous fut narrée par un ancien compagnon d'armes, McIntyre. Ce nom ne m'est pas étranger et je me souviens même de cette lettre que vous reçûtes de lui, à l'époque où nous cohabitions encore à Baker Street.»

La mémoire de Holmes ne l'avait pas trompé. J'avais rencontré James McIntyre en Afghanistan, pendant la guerre, et m'étais lié d'amitié avec lui. Blessé, j'avais dû être rapatrié d'urgence en Angleterre; McIntyre, pour sa part, avait démissionné deux ans plus tard, afin de regagner l'Ecosse où il avait repris le cabinet de son père, médecin à Edimbourg. Je ne l'avais en réalité pas revu depuis l'armée, mais nous avions continué à correspondre régulièrement.

« C'est une histoire rocambolesque, dis-je, une curieuse anecdote tout au plus. Je jurerais que c'est ainsi que McIntyre l'a considérée.

— Je vais être franc, Watson. Votre compagnie me fait terriblement défaut. Depuis que vous avez quitté Baker Street, la vie ne m'apporte plus guère de distraction. Une anecdote, fût-elle rocambolesque, suffirait à me divertir. »

Ayant épuisé toutes les échappatoires, je me résolus à tenter de mettre un peu d'ordre et de logique dans le récit interminable et quelque peu confus que je tenais de McIntyre. Il ne me restait plus qu'à espérer que Holmes m'écouterait avec indulgence.

McIntyre et, avant lui, son père soignaient depuis plus de soixante ans une famille d'Edimbourg répondant au nom de Buchanan. De cette lignée, il ne restait plus désormais qu'un seul membre, prénommé Athol, un homme de quarante-trois ans, célibataire et sans descendance, si bien qu'on pouvait supposer que cette branche de la famille Buchanan — un nom fort répandu en Ecosse — s'éteindrait avec lui.

Hormis les ordinaires maladies infantiles, Athol Buchanan ne semblait pas avoir souffert de la moindre affection ; aussi pendant les années où il fut en exercice, McIntyre n'eut guère l'occasion de se rendre chez son client, sinon pour soigner deux domestiques vieillissants. Lors de sa plus récente visite, effectuée dans ce dernier but, il s'était étonné — et alarmé — de trouver Athol Buchanan en proie à un délire alcoolique qui, à ce qu'on lui dit, n'était pas le résultat d'une ivresse passagère, mais plutôt d'une ivrognerie régulière, et cela depuis plusieurs semaines déjà.

Intrigué par ce comportement inattendu, McIntyre voulut tenter d'apporter son aide, ou du moins son avis de médecin patenté. Il parvint à dégriser son patient, suffisamment du moins pour le questionner et obtenir de lui des réponses intelligibles, certes, mais toutefois peu rationnelles.

Buchanan avait expliqué au médecin que la raison de son comportement inhabituel était fort simple. A quelques semaines de là, il allait mourir. Cette issue était, à ses yeux, inévitable.

« On raconte, docteur, que lorsque nous autres mortels quittons ce monde, nous n'emportons rien avec nous. Je m'efforce de faire mentir le proverbe. Au fil des ans, j'ai vendu tous les objets de valeur que recelait cette maison et ma fortune est des plus maigres. Tout ce qu'il me reste en ce bas monde, ce sont les ultimes vestiges de ce qui fut, jadis, une superbe cave de vins. Et j'ai la ferme intention de les emporter avec moi dans la tombe!»

Naturellement, McIntyre déduisit de ces propos que son client était encore sous l'emprise de la boisson, si bien qu'il ne pouvait être tenu pour responsable d'allégations aussi fantaisistes. Mais sa certitude la plus formelle était que, s'il ne parvenait pas à le dissuader de boire autant, le malheureux ne tarderait pas à passer de vie à trépas! Aussi, avant de s'en retourner chez lui, fit-il promettre aux domestiques de verrouiller la cave et de faire disparaître la clé. De son côté, il s'engageait à revenir le lendemain.

La seconde visite de McIntyre se révéla plus déconcertante encore que la première. Deux éventualités s'étaient offertes à son esprit : si l'homme avait, par un quelconque subterfuge, réussi à accéder au contenu de la cave, il serait dans le même état que la veille ; dans le cas contraire, il serait sobre — mais sans nul doute furieux contre l'initiative de McIntyre, qu'il considérerait comme une atteinte illégitime à son libre arbitre.

Aucune des deux hypothèses ne se réalisa. L'homme était sobre, mais nullement courroucé. Il avoua franchement que la boisson n'avait rien fait pour apaiser son tourment. Il restait inconsolable, mais reconnut que la précédente visite du praticien lui avait apporté une sorte de paix intérieure, qui n'était peut-être que de la résignation, mais qui en tout cas contrastait avec l'état d'agitation permanente qu'il connaissait depuis plusieurs mois.

«Hier, confia Buchanan, je vous ai dit une chose dont je ne m'étais encore ouvert à personne. Ce faisant, j'ai libéré ma conscience du lourd fardeau qui l'oppressait. Vous ne pourrez empêcher ma destinée de se réaliser, mais vous pouvez toutefois m'aider, en écoutant mon histoire.»

McIntyre ne put que se soumettre à une telle requête, et voici le récit qu'il entendit.

«Au XVIe siècle, les Buchanan étaient une opulente famille écossaise ayant pour fief le Lothian, région qui, à l'époque, s'étendait au sud de la Forth jusqu'aux Cheviot Hills, ces montagnes qui jouxtent le Northumberland. Le registre du Grand Sceau d'Ecosse rapporte qu'en 1507 les terres voisines de celles des Buchanan furent acquises par les frères George et John *Faw* (ou *Faa*) qui s'attribuaient les titres de "ducs" ou "comtes" d'Egypte. Plus tard, on les eût simplement appelés "gitans", terme qui tire son origine du mot "égyptien". Les faits et gestes de la maison Faw nous sont bien connus, notamment grâce aux registres municipaux de la ville d'Aberdeen, où l'on apprend que le "désagrément" causé par les menus larcins des "Egyptiens" fut tel qu'un édit fut voté, les bannissant hors de la ville.

« Cet édit ne fut jamais appliqué car, pour des raisons qui demeurent obscures, James V, qui régnait alors sur l'Ecosse, signa peu après un traité avec John Faw, "Lord et comte de la Petite Egypte". Par ce texte, il accordait aux Egyptiens vivant dans son royaume une indépendance de fait ainsi que le droit d'édicter leurs propres lois et de respecter leurs coutumes, avec l'assistance des représentants de la justice du roi.

« Si la décision du souverain plongea dans la perplexité la plupart de ses contemporains, un homme pourtant, Donald Buchanan, prétendit être en mesure de l'expliquer. Selon ses dires, "les Egyptiens étaient tous des menteurs, des voleurs et des

des vagabonds. Aussi était-ce forcément par la ruse et la rouerie, arts dans lesquels ils n'avaient pas leur égal, qu'ils avaient pu abuser le souverain et le pousser à commettre cet acte de royale démence".

« On comprend mieux l'irritation de Donald Buchanan lorsqu'on sait que, malgré de fréquentes incursions des Egyptiens sur ses terres, en vue d'une probable rapine, les poursuites qu'il tenta d'engager se heurtèrent invariablement au veto royal. Finalement, il parvint à identifier le mauvais génie qui inspirait aux gitans leurs actions. Ce n'était ni un membre de la famille des Faw, ni l'un de leurs acolytes, mais une femme au physique particulièrement saisissant. Seuls ses yeux noirs rappelaient son appartenance au peuple des Egyptiens, car elle s'en distinguait par ailleurs avec sa peau très pâle et ses cheveux blancs comme neige, strictement ramassés en deux fines tresses d'une longueur peu commune. Son nom était *Dya*, ce qui signifie "la mère". Dya était voyante. Elle lisait dans les cartes du tarot et dans les astres. Grâce aux lignes de la main, elle pouvait deviner l'avenir d'un homme et modifier sa destinée...

« De nos jours encore, les gitans pratiquent un rite qu'ils appellent *mochardi*. Le mot ne peut se traduire. D'aucuns prétendent qu'il signifie "impur", mais il ne faut pas le prendre dans le sens de "sale" ou de "souillé". Il s'agit d'une croyance religieuse qui impose aux femmes, à certaines périodes de leur vie, de s'éloigner de la communauté et de vivre dans l'isolement jusqu'à ce qu'on les rappelle. Dya n'échappa pas à cette pratique. C'est ainsi qu'elle vint un jour, solitaire, errer sur les terres de Buchanan où elle rencontra le maître des lieux en personne. De cette confrontation, l'histoire ne rapporte que le tragique dénouement : Donald Buchanan tua la femme en l'étranglant avec ses nattes.

« A la suite de cela, Donald s'exila en France avec ses proches. Ses terres, confiées à des parents, ne prospérèrent guère, tant s'en faut. Elles furent petit à petit vendues, jusqu'au dernier arpent... Et pour comble d'infortune, le dernier descendant mâle de la lignée écossaise périt à Culloden, lors de l'ultime révolte des Jacobites.

— Si je vous suis bien, avança McIntyre, vous associez ces malheurs au meurtre de la gitane comme si, pourrions-nous dire, une malédiction avait frappé le nom des Buchanan.

— Vous avez à la fois tort et raison, docteur. Il est exact qu'une malédiction fut prononcée, mais je n'y ai pas encore fait référence. Cette Dya, je vous l'ai dit, avait la faculté de lire l'avenir. Elle eut la prémonition de sa propre mort, comme l'atteste un document que l'on retrouva par la suite, où elle avait inscrit non seulement l'heure précise mais également les circonstances de son trépas. C'est dans ce même document qu'elle formula sa malédiction. Je ne pourrai pas vous en citer les termes exacts, car le document a disparu. Mais j'en connais l'idée générale, qui ne laisse aucune ambiguïté sur les intentions de son auteur. Je vous la livre donc : elle formulait le vœu que son meurtrier, et après lui le fils aîné de chaque génération de ses descendants, périsse au même âge qu'elle, à savoir deux lunes après l'anniversaire de leur quarante-troisième année. Ceux qu'une mort naturelle n'aurait pas frappés à cette date connaîtraient la même fin qu'elle.

« Docteur, je suis l'aîné de mon père. Je viens de fêter mes quarante-trois ans. La deuxième lune après mon anniversaire tombera le 9 novembre — et ce sera le jour de

23

ma mort. Une mort qui sera pénible, comme le fut celle de tant de mes ancêtres. »

Naturellement, la réaction de McIntyre fut l'incrédulité, mais son interlocuteur ne s'en formalisa pas.

« Je tiens à votre disposition des papiers de famille. Certes, ils ne constituent pas une preuve, surtout face à une histoire aussi saugrenue, mais je suis sûr que vous accorderez foi à d'autres documents que vous trouverez, si vous les avez conservés, dans vos propres archives. Votre père soigna, en son temps, mon grand-père puis mon père. Il les suivait encore lorsqu'ils moururent. Rentrez chez vous, docteur, et vérifiez par vous-même la véracité de mes dires. »

Je levai les yeux vers la pendule. Mon récit, tout inachevé qu'il fût, avait déjà duré plus longtemps que je ne l'avais prévu, et le déjeuner ne tarderait pas à être servi. Pour la première fois depuis le début de ma narration, Holmes m'interrompit.

« Je vous sens inquiet de l'heure, Watson. Vous m'avez conté cette histoire avec tant de talent que je serais navré de vous voir en abréger la fin. Attendons un moment plus propice pour poursuivre ce récit, dont je devine déjà la suite. Car si McIntyre n'avait rien trouvé dans ses archives, toute l'affaire eût été de peu d'intérêt. Le père et le grand-père d'Athol Buchanan s'éteignirent bel et bien à quarante-trois ans et deux mois, n'est-ce pas ? »

J'acquiesçai, et mon ami poursuivit :

« J'en déduis donc que McIntyre, à moins qu'il ne fût totalement dépourvu de curiosité, poussa plus loin son investigation. Après avoir collecté les premiers renseignements dans ses propres archives, il émit le souhait de consulter les papiers de famille préalablement évoqués par son patient. »

De nouveau, je ne pus qu'acquiescer.

« Je ne vous poserai que deux questions, Watson. Buchanan s'attendait, a-t-il dit, à une mort pénible, comme le fut celle de ses ancêtres — je le cite de mémoire. Cela implique qu'ils connurent tous la même mort. Ma question est : laquelle ? »

J'hésitai à répondre. Si les décès du père et du grand-père de Buchanan présentaient d'indubitables similarités, il n'en était pas de même pour les générations précédentes. L'imprécision des rapports médicaux, due à l'état peu avancé de la science de l'époque, rendait impossible toute affirmation catégorique.

« Votre diagnostic, Watson ?

— Avec toutes les réserves d'usage, j'avancerai qu'il s'agit là d'une soudaine affection touchant les poumons. Habituellement, ce type d'affection apparaît au stade ultime d'une maladie — la tuberculose, pour être précis —, mais jamais de façon brutale. Or le père de Buchanan est décédé cinq jours après sa première crise!

— Voici ma seconde question. Puisque la plupart — sinon la totalité — des victimes avaient prévu leur fin, elles avaient dû prendre des mesures afin de la retarder dans la mesure du possible...

— Vous avez raison. L'un s'enferma, une semaine avant la date escomptée de sa mort, et n'absorba rien sinon du pain qu'il avait lui-même cuit, et de l'eau qu'il avait mise en bouteilles. Cela ne l'empêcha pas de mourir...

— N'en dites pas plus, Watson!»

Holmes s'appuya contre le dossier de sa chaise, les yeux mi-clos. Son visage affichait une expression que je lui connaissais bien, faite d'intense jubilation et de profonde concentration.

Soudain, il se redressa.

«Watson, cela fait en quelque sorte vingt ans que j'attends ce moment, depuis ce jour de ma prime jeunesse où je fus accosté par un gitan, à la foire de Saint Giles, à Winchester. En échange de la révélation d'un "secret gitan", je fus convaincu par cet homme de débourser mes derniers pence pour lui payer une pinte de bière. Ce ne fut pas un marché de dupes. Il me conta une histoire étrange... si étrange qu'elle n'a cessé depuis de hanter mon imagination. Aujourd'hui, enfin, le voile se lève!

— Pardonnez-moi, dis-je, mais j'ai du mal à vous suivre. De quoi parlons-nous, au juste?

— De meurtres, Watson. De quatre siècles de meurtres!»

2

Un poison légendaire

La discussion s'acheva sur cette note aussi dramatique qu'imprévue, car Mary choisit ce moment précis pour faire irruption dans la pièce, nous annonçant que le déjeuner était servi.

Lorsque nous fûmes à table, Holmes fit une brève allusion à ce que mon épouse avait appelé «l'étrange affaire d'Edimbourg». Mais, lorsqu'il eut dit combien mon récit l'avait fasciné, il détourna promptement la conversation vers des sujets plus anodins.

Quelle que fût mon impatience d'achever ma narration, je résolus d'en différer l'exécution. Pour des raisons fort compréhensibles, Mary avait préparé un repas plus élaboré qu'à l'ordinaire, lorsque nous étions seuls. En conséquence, le déjeuner dura plus longtemps que je ne l'avais prévu. Ayant encore à effectuer mes visites du matin et celles de l'après-midi, avant de revenir pour mes consultations de la soirée, je dus quitter la table avant que le repas fût fini. Je laissai Holmes en compagnie de ma femme, formulant simplement le souhait de revoir mon ami «dans un futur pas trop éloigné».

En réalité, j'avais déjà la désagréable prémonition que ce futur serait bien plus proche que je ne l'eusse désiré. Six années de vie commune m'avaient appris que, lorsque Holmes avait décidé de passer à l'action, rien ne pouvait le détourner de sa résolution. Et, durant ces six années, aucune de mes protestations, si virulentes fussent-elles, n'avaient pu décourager les projets les plus fous ou les plus périlleux de mon compagnon. Bien au contraire, je me retrouvais chaque fois, contre mon gré, au cœur de l'action. Aujourd'hui, pourtant, j'étais bien résolu à opposer un non catégorique à mon ami. Je ne vivais plus à Baker Street, et j'avais en outre des obligations tant à l'égard d'une épouse dévouée que de patients qui comptaient sur moi.

Mais là ne s'arrêtaient pas mes préoccupations, en ce début d'après-midi. Si j'avais bien compris Holmes, il avait non seulement prétendu que la vie d'Athol Buchanan était menacée, mais également que tous ses ancêtres avaient connu le même destin — et cela depuis quatre siècles. Cette affirmation, je l'avais d'abord trouvée contraire au bon sens, avant d'en venir à la conclusion qu'elle ne l'était pas plus que l'explication que j'avais, jusqu'alors, tenue pour la plus vraisemblable.

McIntyre et moi-même n'avions pas encore eu l'occasion d'échanger nos vues sur la question, mais j'avais la certitude qu'il partageait ma pensée. Aussi extravagante que pût paraître toute cette histoire, un fait restait indiscutable, à savoir que le père et le grand-père de Buchanan étaient morts presque exactement au même âge, et cela bien que la cause de leur décès pût être légèrement différente. Le reste de l'histoire reposait exclusivement sur le contenu des papiers de famille que détenait Buchanan. Ces documents étaient peut-être inexacts, ou du moins imprécis, et rédigés dans un style obscur. Aussi pouvait-on imaginer que leur lecture, sinon leur écriture même, était soumise à la subjectivité et à l'interprétation partisane. Aussitôt, il me semblait entendre les objections de Holmes : « Mais pourquoi ? Pourquoi diable quelqu'un se serait-il évertué à fabriquer une telle légende, puis à lui faire traverser les siècles, quand il semble que personne ne puisse en tirer le moindre avantage ? En outre, ne peut-on concevoir que les allégations incluses dans ces textes trouvent des confirmations dans d'autres sources, totalement indépendantes ? » A ces questions, j'étais incapable d'apporter une réponse.

A la consultation du soir, je ne chômai pas ; par chance, toutefois, mes patients se montrèrent moins friands de détails macabres à propos des meurtres de Whitechapel. En arrivant chez moi, je ne pensai qu'à deux choses : me reposer et me sustenter. Mary attendit que nous fussions tous deux attablés devant notre dîner pour m'annoncer : « Sherlock désire que tu l'accompagnes à Edimbourg. »

Je mentirais en disant que la nouvelle me surprit.

« Quand ? demandai-je.

— Mercredi.

— Ce mercredi-ci ?

— Oui, c'est du moins ce que j'ai cru comprendre. »

Je ne pus réprimer un accès d'hilarité. J'avais certes subodoré un dénouement de cet ordre, mais pas une telle précipitation! Holmes omettait un détail capital : l'époque était révolue où, partageant son domicile du 221B Baker Street, je n'avais d'autre obligation que de satisfaire sa moindre requête...

« Il va sans dire que tu lui as fait comprendre que c'était impossible » avançai-je.

— Au contraire, John. Je crois que tu devrais accepter.

— Et pourquoi cela, grand Dieu?

— Parce que tu en as besoin. Tu auras beau protester, il n'en reste pas moins vrai que tu lis chaque jour avec passion les chroniques criminelles des journaux. Voilà des semaines que tu suis de près l'affaire des meurtres de Whitechapel, te demandant si Holmes est associé à l'enquête. Et maintenant, cette affaire avec James McIntyre... Jamais encore tu n'avais écrit de si longues lettres. Je le sais bien, moi qui ne suis jamais parvenue à te persuader d'écrire plus qu'une ordonnance ! »

Je ne pus donner entièrement tort à Mary, mais je restai néanmoins catégorique. Mon refus était définitif, et aucune manœuvre de Holmes ne m'en ferait démordre...

A dix heures moins dix, le mercredi 3 octobre, je me trouvai au pied de la statue de George Stephenson, dans le grand hall de la gare d'Euston, attendant que Sherlock Holmes m'y rejoignît. Nous étions convenus d'embarquer dans l'express de dix heures, à destination de la gare de Princes' Street, à Edimbourg, via Birmingham et Carlisle.

Depuis le jour de la visite de Holmes, rien n'était arrivé qui méritât qu'on s'y arrêtât mais, à considérer l'enchaînement des événements, on avait peine à croire qu'ils fussent uniquement le fruit de coïncidences.

Ce fameux lundi soir dont j'ai parlé plus haut, Mary et moi-même avions à peine fini de dîner que nous reçûmes la visite de Giles Anstruther et de sa sœur Emmiline. Nous étions trois médecins à exercer dans le quartier de la gare de Paddington : Anstruther, Jackson et moi. Outre les liens professionnels qui nous unissaient, nous entretenions des rapports de vraie amitié. Aussi n'était-il pas rare que l'un ou l'autre m'offrît le plaisir d'une visite improvisée, généralement en fin de soirée, lorsque le travail avait cessé de nous absorber. Tous deux étaient célibataires, mais Anstruther avait une sœur mariée, Emmiline, avec qui ma femme s'entendait fort bien.

Ce jour-là, Emmiline avait justement rendu visite à son frère, et elle avait décidé de l'accompagner chez nous, afin de nous consulter sur une affaire bien précise. Emmiline était mère d'un fils unique, un garçon de huit ans, frêle et de santé délicate. Son époux était un homme de loi assez fortuné, qui dirigeait en ville un cabinet prospère ainsi qu'une étude sur l'île de Wight. Dans l'intérêt de l'enfant, sa mère l'emmenait chaque hiver loin des brouillards londoniens pour lui faire respirer l'air frais et vivifiant du Ventnor. A plusieurs reprises, Emmiline avait proposé à ma femme de se joindre à elle pour un court séjour au bon air et, son départ étant fixé au surlendemain mercredi, elle renouvela une dernière fois son offre.

Mary, qui jusqu'alors avait décliné la proposition, parut soudainement mieux disposée face à cette invitation. Elle justifia son refus préalable en expliquant qu'elle répugnait à me laisser seul mais que la situation était désormais différente, puisque j'étais également sollicité pour un voyage qui, certes, n'était pas véritablement «d'agrément» mais qui, elle n'en doutait pas, avait tout pour me plaire. Elle me rappela une remarque récente que j'avais faite sur la pâleur de son teint, et m'assura qu'un petit séjour loin des miasmes londoniens et des affreux meurtres qui affectaient notre capitale, ne pourrait lui faire que du bien. A tous ces arguments je ne pus qu'acquiescer, mais je restai préoccupé par un autre obstacle, insurmontable celui-là, qui s'opposait à mon départ pour Edimbourg : mon devoir envers mes patients.

«Combien de temps comptez-vous être absent de Londres?» demanda Anstruther.

Je répliquai que, persuadé du caractère irréaliste de cette expédition, je n'avais pas même pris la peine de réfléchir à ses modalités. J'avançai cependant qu'un mois me semblait une durée minimale.

«Dans ce cas, répondit mon ami, votre problème est résolu. Mon cabinet est de taille modeste, vous le savez, aussi pourrais-je sans aucune gêne prendre en charge votre clientèle. Et si je me trouvais débordé, je suis certain que Jackson ne me refuserait pas son aide.»

Instruit de tous ces détails, on pourrait croire que ma présence à la gare d'Euston était donc le fruit d'un concours de circonstances. Toutefois, mon intuition intime m'indiquait qu'il n'en était rien et que la main du destin n'était en réalité que celle de... Sherlock Holmes en personne. Ce sentiment désagréable d'être manipulé, je l'avais déjà ressenti à l'époque où je demeurais à Baker Street. Voilà qu'il refaisait surface aujourd'hui, aggravé encore par le souvenir de mes capitulations passées. Je savais d'avance que, ayant acquis une victoire, Holmes se montrerait un compagnon charmant, attentif et disert, spirituel même ! Au cours de la dizaine d'heures que durerait notre voyage, Holmes serait probablement la seule compagnie qui me serait offerte. Si je décidais de manifester mon mécontentement en observant un silence tenace, moi seul en pâtirais. Holmes se retirerait en lui-même à méditer, un état dans lequel je l'avais vu persévérer pendant des périodes largement supérieures à dix heures. Aussi n'avais-je d'autre choix que de me montrer beau joueur et de rendre les armes.

Le voyage commença dans le calme, Holmes et moi-même étant absorbés dans la consultation des journaux du matin. Je constatai que, fidèle à son habitude, mon ami limitait sa lecture aux colonnes des affaires criminelles et des faits divers du *Times*, si bien qu'il eut tôt fait de replier son quotidien et ne tarda pas à me tirer de ma lecture pour engager la conversation.

«Je présume, commença-t-il, que votre examen approfondi de la presse n'a rien révélé de nouveau sur les meurtres de Whitechapel, sinon un surcroît de spéculations sur la lettre et la carte postale reçues à l'Agence Centrale de Presse.»

C'était l'exacte vérité. Les missives auxquelles se référait Holmes, toutes deux signées «Jack l'Eventreur», avaient été attribuées à l'auteur des meurtres. La lettre était arrivée samedi matin, la carte postale lundi à la première heure. Les «spéculations» portaient sur l'authenticité de ces écrits. Personnellement, je ne la mettais guère en doute, et je le fis savoir à mon compagnon.

«Pour quelle raison? demanda Holmes.

— Parce que, rétorquai-je, il semble que la lettre ait annoncé à l'avance les deux meurtres perpétrés à l'aube du dimanche et que la carte ait contenu des données qui n'avaient pas encore été portées à la connaissance du public.

— Peut-être, Watson, peut-être... J'ai vu la lettre — ou plutôt, sa photographie. Ne prenez pas cet air stupéfait. Je confirme ce que je vous ai dit plus tôt, à savoir que je n'ai eu aucun contact avec Scotland Yard. En revanche, j'ai reçu dimanche soir la visite de mon frère Mycroft. Vous savez comme moi, mon cher, que rien ne se passe à Whitehall ou dans le quartier sans que Mycroft en ait connaissance. C'est lui qui m'a montré le cliché.

— J'en déduis que vous avez déjà formé une opinion...

— Nenni, Watson, mais j'avancerai toutefois une hypothèse. Si, pour un motif quelconque, je souhaitais commettre une série de meurtres particulièrement horribles et les faire passer pour l'œuvre d'un maniaque, je ressentirais probablement la nécessité de donner une identité à mon meurtrier fictif. Et, si je poursuis ce scénario certes invraisemblable, je crois pouvoir affirmer que je n'aurais pu trouver surnom plus adéquat que celui de "Jack l'Eventreur". Un nom pareil a toutes les qualités requises pour frapper l'imagination du public. »

Tandis que je réfléchissais à ce qu'impliquaient les remarques de Holmes, celui-ci coupa court à toute question que j'eusse pu formuler.

« N'allons pas plus loin, Watson. Lors de notre dernière rencontre, je vous ai dit que l'enquête avait été confiée à l'inspecteur chef Abbeline. Aussi refusé-je de me livrer à ce qui ne serait, en tout état de cause, que conjectures gratuites. En outre, je vous rappelle que nous avons une autre affaire à traiter — et vous, une histoire à terminer. Je pense que l'occasion est tout à fait propice à ce que vous repreniez votre récit. »

J'en ressentis une certaine déception, rendue plus vive encore par ce sentiment de frustration qui m'assaillait lorsque je ne parvenais pas à démêler si Holmes se contentait de dire la vérité ou s'il en savait plus qu'il n'était disposé à me confier. Dans cette dernière hypothèse, aucune protestation de ma part ne pourrait briser son silence — en outre, je ne pouvais nier que mon récit, laissé inachevé, devait nécessairement être mené à son terme...

Mon intention n'est pas de reproduire ici en détail la narration que je fis à mon ami. Disons simplement que j'exposai le résultat de l'investigation de McIntyre dans les papiers de la famille Buchanan. Outre les faits les plus évidents, tels que l'âge auquel étaient décédés différents membres de la famille, mon collègue avait également porté ses recherches sur les causes de ces décès et sur les mesures prises par certaines des victimes pour tenter d'éviter l'accomplissement fatal de la malédiction. Il en ressortait que si certaines de ces mesures se distinguaient par leur caractère insolite, pour ne pas dire grotesque, toutes en revanche avaient eu en commun leur totale inefficacité !

Si j'évite d'entrer dans les détails, c'est non seulement par souci de concision, mais également parce que les précisions que je pourrais apporter n'éclairent en rien le mystère qui nous préoccupe. A ma grande surprise, Holmes ne me posa que quelques brèves questions ; apparemment satisfait de mon récit, il me livra, selon ses propres termes, l'explication qui m'était due et qu'il n'avait que déjà trop différée.

« Je vous ai dit, commença-t-il, que j'attendais cette affaire depuis vingt ans, et j'ai mentionné une rencontre de jeunesse avec un gitan, à la foire de Winchester. Cet individu me parla d'un poison, connu de son peuple depuis les temps les plus reculés, qui présentait la particularité de ne produire ses effets que plusieurs semaines après avoir été administré. Il provoquait alors une mort fulgurante, mais ne laissait aucune trace.

« L'école que je fréquentais à Winchester à l'époque avait récemment inscrit la chimie au nombre des matières enseignées — en cela très en avance sur son temps, je suppose. Cette science, qui me fascinait déjà alors, devint pour moi une véritable passion à la suite de ma curieuse rencontre à la foire qui fut, si l'on peut dire, à l'origine de ma spécialisation, bien connue de vous, dans la chimie des poisons.

— Ce poison extraordinaire existe-t-il ? demandai-je.

— J'en ai l'intime conviction, Watson, bien que je ne sois point encore parvenu à le découvrir. »

Il leva le bras pour couper court à toute intervention de ma part.

« Laissez-moi poursuivre. La connaissance et l'usage des poisons remontent à la nuit des temps. Les Asiatiques, dont le savoir en la matière est extrêmement ancien, ont laissé des textes décrivant une substance toxique provoquant la mort en différé. Le gitan qui m'aborda à la foire m'expliqua que ce poison était connu de son peuple "depuis les temps les plus reculés". Vous n'ignorez pas, j'en suis sûr, que les gitans ne

41

sont en fait nullement originaires d'Egypte. L'étude de Pott sur la langue gitane a apporté des preuves formelles de la corrélation entre ce langage et le sanskrit, langue dont l'Inde est le berceau. Ainsi, les gitans sont issus de ce même continent où l'on trouve les plus anciennes références au mystérieux poison. La tradition gitane a transmis cette substance de génération en génération, à travers les siècles. Elle lui a même donné un nom : *drab*.

« Il semble malheureusement que ce terme soit désormais employé indifféremment pour la quasi-totalité des poisons. Rendez-vous sur un champ de foire gitan et, pour peu que vous vous montriez persuasif, vous obtiendrez que l'on vous vende du *drab*. J'ai fait moi-même l'expérience une douzaine de fois mais, après l'analyse des produits ainsi récoltés, j'en suis arrivé à la conclusion qu'il ne s'agissait que de substances déjà connues, allant des poisons métalliques comme l'arsenic ou l'antimoine aux extraits végétaux ou aux champignons toxiques comme l'amanite phalloïde ou la fausse oronge.

— Mais, protestai-je, je ne vois rien là qui puisse vous faire accroire que ce poison de légende fût autre chose que... légendaire, justement!

— Vous n'avez pas tort, Watson. Toutefois, je détiens chez moi, à Baker Street, un certain dossier, très mince puisqu'il ne contient que huit rapports d'enquêtes, le fruit d'un travail de recherches assidu pendant de longues années. De ces affaires, je n'en ai traité aucune personnellement, mais les preuves accumulées ne laissent aucun doute sur leur véracité. Elles concernent des décès inexpliqués, qui ont tous certains points en commun. Chacune des victimes, apparemment en bonne santé, s'est trouvée frappée subitement d'un mal que vous, mon cher Watson, auriez dénommé *phtisie*. L'autopsie, pratiquée dans tous les cas sans exception, ne put révéler aucune cause directe de la mort. Et, chaque fois, on identifia un suspect — suspect qui, invariablement, put prouver qu'il se trouvait à des kilomètres de là au moment du décès et même quelque temps auparavant.

— A vous croire, dis-je, le meurtre de Buchanan sera orchestré de la même manière, à cela près que vous pourrez l'empêcher...

— Plaise à Dieu qu'il en soit ainsi! Pour l'instant, mes certitudes sont maigres : nous

43

connaissons l'identité de la victime et la date présumée de sa mort. Nous savons également comment sera perpétré le crime, mais nous ignorons l'heure choisie, et la tactique précise qui sera utilisée. Ne surestimez pas mes compétences, mon ami. Buchanan est encore vivant, certes, mais le meurtre a peut-être déjà été commis!»

La température dans le wagon se fit sensiblement plus fraîche à mesure que nous progressions vers le nord. La nuit commença de tomber peu avant même que nous eussions atteint Carlisle, aussi me pelotonnai-je sous mon pardessus, bien calé dans le coin de mon siège, afin de conserver le peu de chaleur que je détenais encore en moi. J'avais pensé que le froid me tiendrait éveillé mais, la fatigue causée par le voyage aidant, je dus m'assoupir car je me souviens seulement de Holmes me secouant afin de me ramener à la conscience. Le train s'était immobilisé. A travers la vitre embuée du compartiment, j'aperçus un panneau éclairé par une rangée de lampes au gaz et déchiffrai les mots : «Princes' Street».

Après avoir grimpé une volée de marches particulièrement hautes, menant du quai à la rue, nous fûmes accueillis par une rafale de vent glacé qui me fit regretter d'avoir troqué les brouillards londoniens contre cet épouvantable climat, quasi polaire! Holmes, lui, n'avait d'yeux que pour le spectacle alentour. La masse sombre du château d'Edimbourg, forteresse imprenable fièrement accrochée à son roc, découpait sa silhouette inquiétante sur le ciel bleu nuit, constellé d'étoiles que ne dissimulait aucun nuage. La lune, aux trois quarts pleine, semblait veiller sur ce paysage irréel. Dans sept jours, elle serait pleine. Cette dernière lune serait-elle le prélude au triomphe de Sherlock Holmes... ou à la mort d'Athol Buchanan?

3

Un suspect tout trouvé

La veille de notre départ pour Edimbourg, Holmes avait pris plusieurs initiatives en mon nom. Il prétendit par la suite m'en avoir tenu informé et avoir reçu mon blanc-seing bien que, curieusement, je n'en eusse gardé aucun souvenir. C'est ainsi qu'il avait décidé de télégraphier à McIntyre pour l'avertir de notre arrivée prochaine et lui exposer, en quelques phrases, le but de notre voyage. Quelques heures plus tard nous parvenait la réponse de mon confrère, qui se disait ravi de notre visite et insistait pour que nous fussions ses hôtes.

Ne connaissant pas la ville et n'ayant, pour tout repère, qu'une adresse postale, j'ignorais tout de la situation sociale et donc du quartier que pouvait habiter McIntyre. Cette lacune fut rapidement comblée car, à en juger par le peu de temps qu'il fallut à la voiture que nous avions louée pour nous mener de la gare au domicile du médecin, nous eussions aussi bien pu effectuer le trajet à pied. Quant à la maison proprement dite, la lueur du clair de lune suffit à me la faire entrevoir comme une résidence d'une certaine élégance, située sur une place dont le centre était occupé par un square. Cette première impression favorable fut amplement confirmée par la découverte de l'intérieur de la demeure, qui se révéla non seulement vaste, mais aussi fort opulente.

McIntyre ne voulut pas s'étendre sur le sujet, nous assurant que, s'il paraissait jouir d'une réussite sociale au-dessus de la moyenne, tout le crédit en revenait au talent et au travail opiniâtre de son père.

«Une fois que l'on s'est établi à une adresse suffisamment avantageuse, nous affirma-t-il, et que l'on se montre aussi affirmatif que rassurant dans ses diagnostics, avec un minimum de compétence à l'appui, il faudrait être sot pour parvenir à perdre une clientèle déjà fidélisée. C'est l'une des injustices de la vie. Il reste qu'un

mal que l'on soigne pour six sous à Porto-
bello Road exige de débourser au bas mot
une pièce d'or d'une guinée à Charlotte
Square!»

Je ne fus pas fâché, je l'avoue, de constater que la collation que l'on nous avait
préparée était, quant à elle, fort modeste.
McIntyre avait, avec raison, imaginé que le
voyage nous aurait épuisés, Holmes et moi,
et que notre appétit en serait diminué.
Il ignorait naturellement que Holmes dis-
posait d'une réserve d'énergie inépuisable
grâce à laquelle il restait toujours alerte, et
ce sans presque dormir. De fait, ce soir-là,
Holmes se montra aussi frais et gaillard que
lorsque je l'avais retrouvé en gare d'Euston,
le matin même.

A l'inverse, mon propre harassement
était tel que, dès le milieu du dîner, je
dodelinai de la tête, dans un état proche
de la somnolence. Aussi accueillis-je avec
reconnaissance l'invitation de mon hôte à
me retirer dans ma chambre. Holmes avait
certainement beaucoup de choses à lui dire,
dont la plupart m'étaient déjà connues.
Quant aux nouvelles informations que
McIntyre serait en mesure de fournir, je
jugeai qu'elles pouvaient attendre jusqu'au
matin.

Je sombrai dans le sommeil à peine ma tête posée sur l'oreiller, et je ne me rappelle pas avoir ouvert un œil, fût-ce fugitivement, avant d'y avoir été forcé par un rai de lumière qui, s'étant introduit par un interstice entre les rideaux, vint taquiner mes paupières closes. Je consultai ma montre et constatai qu'il était neuf heures et demie.

La vue qu'offrait ma fenêtre confirma l'impression fugace que j'avais eue la veille au soir. Charlotte Square était une charmante place bordée sur tout son pourtour de demeures géorgiennes : à ma droite, ce bel alignement se rompait pour laisser place à une petite église coiffée d'un dôme, indubitablement inspiré du style de Saint-Paul. Les maisons donnaient sur un square planté d'arbres, au milieu duquel s'élevait un mémorial, dont j'appris par la suite qu'il était dédié à feu le Prince Albert. En face, par-dessus les toits, j'apercevais le château qui, s'il me parut moins inquiétant à la lumière du jour que lors de notre arrivée nocturne, me frappa toutefois par sa majesté toute royale. L'heure eût-elle été moins tardive, je serais volontiers resté plus longtemps à contempler ce spectacle.

Je pris seul mon petit déjeuner car, comme me l'expliqua McAlistair, le domestique qui me servit, son maître et M. Holmes avaient pris le leur ensemble, un peu après huit heures. Le docteur McIntyre était occupé par ses consultations matinales, qu'il donnait dans un cabinet aménagé au rez-de-chaussée de la maison, côté cour, auquel les patients accédaient directement par St. Colme Street. Quant à M. Holmes, il était sorti en promettant d'être de retour en milieu de matinée.

McIntyre me rejoignit dans la salle à manger tandis que je terminais une seconde tasse de café. Il ne m'apprit rien de nouveau, sinon qu'il avait rendu visite à Buchanan la veille, afin de l'informer de notre arrivée.

«L'homme s'est montré très flatté de l'intérêt que vous lui manifestez — en particulier votre illustre collègue. Je vais vous étonner en vous disant que les exploits de M. Sherlock Holmes, "le fameux détective londonien", sont connus jusque dans cette contrée reculée. Mais je dois être franc avec vous, Watson, tout comme je l'ai été avec Holmes. Il m'est avis que Buchanan ne voit dans votre visite qu'une généreuse diversion destinée à apaiser l'angoisse qui l'étreint en ces jours qu'il continue de considérer comme les derniers pour lui en ce monde.

— Qu'en a dit Holmes? demandai-je.

— Ma foi, répliqua McIntyre, il n'a rien manifesté. Le seul point qui suscita sa curiosité fut la composition de la domesticité de Buchanan. Je n'eus aucun mal à le renseigner. Outre un couple de vieux serviteurs attachés à sa maison depuis de longues années, Buchanan a embauché il y a six mois un jeune garçon, Alexander, qui lui sert d'homme de peine pour transporter le bois, le charbon ou l'eau. A eux trois, ils tiennent la maison tant bien que mal, mais ils ont fort à faire pour lutter contre la décrépitude d'une part, la poussière d'autre part!

— Et quelles sont les intentions immédiates de Holmes?

— Cela, mon cher, je l'ignore. Je crois vous avoir tout dit... sinon peut-être que la théorie de Holmes suscite ma réserve sur un point.

— Je crois savoir lequel. Vous avez peine à admettre que le seul motif d'alimenter la croyance en une malédiction proclamée par une obscure devineresse du XVIᵉ siècle puisse transformer ses descendants en meurtriers, et ce de génération en génération. »

Holmes, qui était entré sans que McIntyre ni moi-même l'eussions entendu, se tenait à quelques mètres de nous.

«On reconnaît une bonne maison à ses portes bien huilées. Comme je vous l'ai dit hier, McIntyre, votre scepticisme est la conséquence de votre incapacité de raisonner en dehors des schémas de pensée occidentaux — quoiqu'il ne soit pas impossible que des parallèles existent dans notre propre culture. Je pourrais citer le rituel ancestral de la *vendetta*, qui perdure aujourd'hui encore en Italie et en Corse. Mais à quoi bon palabrer plus longtemps? La réussite de mon plan sera la meilleure preuve que je pourrai vous apporter. Quant à mes intentions immédiates, mon cher Watson, je ne les ai pas encore arrêtées. Sachez cependant qu'Edimbourg est une ville passionnante et pleine de surprises! Allez donc déambuler dans Princes' Street et jetez un œil au-delà des jardins, en direction du château. Rapidement, vous remarquerez un ballet de nuages de fumées noires et blanches qui semblent s'élever des jardins mêmes. Naturellement, ils proviennent des voies de chemin de fer qu'une tranchée profonde dissimule à la vue. J'ai marché jusqu'à la gare suivante, que nous aurions traversée, si nous étions arrivés par l'est. De là, j'ai emprunté un tramway qui m'a conduit jusqu'à la cathédrale St. Giles. La rampe qui y mène est trop raide et la voiture trop lourde pour les deux chevaux qui la tirent, mais la difficulté se trouve résolue par un système aussi simple qu'habile, en tout cas indubitablement pittoresque. Au pied de la colline, un gamin des rues, grimpé sur une rosse, attend le véhicule. Il attache sa monture au harnais où sont déjà attelées les deux autres bêtes. C'est ainsi que, à grand renfort de coups de cravache et de hurlements, auxquels s'ajoutent les coups de corne de la voiture et les encouragements bruyants des passagers, le drôle hisse le convoi au sommet. Aussitôt arrivé à bon port, il détache les chevaux et redescend la colline au galop afin de prendre en charge la rame suivante. N'est-ce pas un stratagème absolument désopilant? »

McIntyre, craignant peut-être, tout comme moi, de voir Holmes se lancer dans un compte rendu détaillé des curiosités touristiques d'Edimbourg, se permit d'intervenir après ce morceau de bravoure enthousiaste.

« J'en déduis que l'objet initial de votre expédition n'était pas la visite de la cathédrale, mais bien plutôt celle de l'Université de médecine...

— A défaut d'être surprenante, votre déduction est parfaitement correcte. Je vous ai demandé si vous connaissiez un membre de l'Université auquel je pourrais me présenter, et vous suis très obligé de votre suggestion.

— Vous avez donc rencontré le docteur Joseph Bell ?

— En effet, et des dispositions ont été prises pour me permettre d'utiliser les laboratoires de chimie de l'école de médecine, le cas échant.

— Qu'avez-vous pensé de Bell ?

— Qu'aurais-je dû en penser ? Ah ! J'y suis... Vous voulez savoir s'il m'a fait une démonstration de ce qu'il considère de toute évidence comme son talent pour le raisonnement déductif ? La réponse est oui. »

McIntyre considérait Holmes en silence, attendant un développement qui ne tarda pas à venir.

« Si cela vous intéresse, reprit Holmes, sachez que je trouvai le médecin au milieu d'un groupe d'étudiants. Avant que j'aie eu l'occasion de me présenter, il leur avait décrit plusieurs des démarches que j'avais entreprises le matin, avant de me rendre à l'Université. Ses déductions, pour primaires qu'elles fussent, n'en étaient pas moins méthodiques.

— Et alors? insistai-je.

— Je lui dis qu'il se trompait du tout au tout.

— Ciel! s'exclama McIntyre. Pourquoi cela?

— Je dois avouer qu'il m'avait passablement irrité. Cet homme est excessivement vaniteux et infatué de sa personne. Mais ce qui m'a par-dessus tout exaspéré, c'est cette manie qu'il a de constamment qualifier ses déductions d'"élémentaires", dans le dessein évident de créer l'impression opposée. Cela mis à part, il s'est montré plutôt aimable et bien disposé à mon égard. Il reconnut avoir suivi certaines de mes enquêtes et exprima de bonne grâce son admiration.

« Pour revenir à l'affaire qui nous occupe, poursuivit Holmes à l'intention de McIntyre, je crois que l'heure est venue de rendre visite à Buchanan. Quel moment vous semble le plus adéquat pour cette visite? »

Nous prîmes rendez-vous avec Buchanan pour l'après-midi même. Holmes s'excusa en observant qu'Edimbourg présentait un inconvénient fort regrettable, à savoir son climat prodigieusement froid et venteux. Aussi remonta-t-il à sa chambre afin de passer des vêtements plus chauds.

A peine eut-il quitté la pièce que McIntyre fut saisi d'un inexplicable fou rire.

«Pardonnez, Watson, dit-il, mon inexcusable grossièreté, mais force est d'avouer que je trouve la situation irrésistible. Je vois que vous ne partagez pas mon hilarité. Je vous l'ai dit, la réputation de votre ami à Edimbourg est immense. Or celle du docteur Joseph Bell ne l'est pas moins — au sein du corps médical, en tout cas. Ici, vous le constaterez aisément, on fait autant, sinon plus de cas, des qualités de Bell que de celles de Holmes. Cela n'est d'ailleurs sans doute justifié que par un excès de fierté écossaise, je vous l'accorde aisément. Toutefois, je connais suffisamment votre ami pour savoir à quel point il ressemble à mon confrère. Aussi trouvé-je fort cocasse de voir Holmes dénigrer un homme qui est à peu de chose près son double!»

Je partageai l'hilarité de McIntyre, non sans toutefois un soupçon de remords à l'idée de me montrer déloyal envers Holmes. Ce secret serait l'un des rares que je ne partagerais pas avec mon fidèle ami !

La maison de Buchanan se trouvait à quelque huit cents mètres de Charlotte Square, non loin du jardin botanique. Si les maisons de Amherst Street étaient vastes, là s'arrêtait toute ressemblance avec la somptueuse demeure de McIntyre. La plupart des façades présentaient un aspect décati, et le n° 47 ne faisait pas exception à la règle. L'immeuble, qui comprenait quatre étages si l'on incluait le grenier, était garni de fenêtres aux vitres rendues opaques par une épaisse couche de crasse. En réponse aux trois coups que nous frappâmes à la porte, apparut un homme que l'on eût pu croire tout droit sorti d'un roman de M. Dickens, ce qui n'impliquait pas, d'ailleurs, qu'il fût mal assorti au décor — bien au contraire ! Il était si voûté que l'on eût éprouvé quelque difficulté à évaluer sa taille réelle. Son habit, qui jadis avait dû mériter le nom de livrée, était désormais lustré de façon uniforme et parsemé d'éclaboussures de toutes sortes. De longs favoris, des cheveux blancs clairsemés entouraient un visage très pâle et creusé, et deux yeux jaunes de myope qui nous dévisagèrent brièvement, puis l'homme annonça : «Si ces messieurs veulent se donner la peine d'entrer. On les attend.»

Nous fûmes introduits dans une pièce qui, bien qu'elle fût immense, me parut curieusement oppressante. Les murs étaient tendus de papier apparemment très sombre, mais des taches de couleur plus claire, à l'emplacement de tableaux aujourd'hui décrochés, laissaient supposer que la tenture originale avait dû être d'un joli rose. Quant aux draperies, quelle qu'eût été leur teinte à l'état neuf, elles s'accordaient désormais aux murs par leur noirceur. L'ameublement, pléthorique et sans grâce, formait un véritable bric-à-brac hétéroclite. L'un des côtés de la pièce s'ornait d'une massive cheminée en marbre vert dans laquelle brûlait — ou plutôt fumait — un feu de charbon. L'âtre était tapissé de cendres, de même que ses abords immédiats, composés d'une superposition erratique de tapis et carpettes. Surgissant de derrière un large fauteuil placé au coin du feu, une silhouette se déploya lentement puis se tourna vers nous, une main tendue en signe de bienvenue.

58

Athol Buchanan n'était pas moins surprenant que sa demeure. En dépit de son accoutrement négligé, de sa tignasse rousse mal peignée et de sa barbe de plusieurs jours, l'homme sentait son aristocrate et, dans d'autres circonstances, sa présence eût été de celles qui honorent les réceptions des cercles les plus distingués. La voix et les manières de notre hôte vinrent encore appuyer cette impression. Les présentations faites, ses premiers mots furent pour la pièce où nous nous tenions.

« Naguère encore, j'aurais pu décrire mon état comme un revers de fortune. Aujourd'hui, le terme même de fortune me semble inadéquat. Comme je l'ai expliqué au docteur McIntyre, il y a beau temps déjà que j'ai vendu les derniers objets de valeur que je possédais. Aussi, plutôt que de laisser les quelques meubles restants éparpillés dans différentes pièces, j'ai préféré les réunir dans ce salon. Cette disposition a comme autre avantage d'économiser la lumière et le fuel. J'ai cependant gardé un lit, à l'étage. Les quartiers des domestiques, pour leur part, sont restés en l'état — par chance, il ne s'y trouvait aucun objet de valeur dont j'eusse pu être tenté de me défaire!

«Quant à votre présence ici, messieurs — et je m'adresse particulièrement à vous, monsieur Holmes — je ne peux que répéter ce que j'ai déjà dit au docteur McIntyre. Votre sollicitude me touche autant qu'elle me flatte, mais je crains qu'elle ne soit d'aucun effet. Votre habileté légendaire, monsieur Holmes, ne pourra altérer le cours du destin. Je ne voudrais toutefois pas vous sembler ingrat ou grossier. Ma franchise n'a pour but que de vous mettre à l'aise. Si, en connaissance de cause, vous souhaitez toujours mener l'enquête, alors je me tiens à votre entière disposition.

— Je n'en demande pas davantage, répondit Holmes. A mon tour, je serai très direct en vous disant que je ne peux m'engager à vous sauver la vie. Toutefois, ma confiance est aussi solide que la vôtre est chancelante. Je n'exigerai pas grand-chose de vous, rien en tout cas qui puisse vous paraître extravagant.»

J'avais naturellement prévu qu'il nous faudrait inspecter la demeure de Buchanan, sans pourtant présager de ce qui en découlerait. Holmes envisageait-il de monter la garde auprès de l'homme? Comptait-il surveiller de près tous les aliments et boissons destinés à Buchanan? Rien, dans ses propos, ne me permettait d'en préjuger, puisqu'il se contenta de demander à notre hôte l'autorisation d'explorer la maison et d'interroger les domestiques.

Nous avions déjà rencontré — entrevu, devrais-je dire — Campbell. Mme Campbell, que nous trouvâmes dans la cuisine, comptait quelques années de moins que son époux et, sans être sémillante, était encore en mesure d'assumer ses responsabilités, à savoir principalement la cuisine. Le jeune apprenti, Alexander, se trouvait, nous dit-on, dans la cour, occupé à couper du bois. Après s'être présenté, Holmes suggéra à Campbell d'avertir le jeune homme de notre arrivée. Nous consacrerions quelque temps à un examen minutieux de la maison, puis, espérait-il, nous pourrions rencontrer Alexander avant notre départ.

Buchanan nous avait proposé ses services pour une «visite guidée». Holmes exprima sa préférence pour un tour non accompagné, si toutefois notre hôte n'y voyait pas d'inconvénient. Buchanan nous donna bien volontiers son accord et nous assura que les domestiques ne nous causeraient aucun embarras. Les quinze ou seize pièces que comptait la demeure auraient pu rendre fastidieux notre «examen minutieux», mais la vacuité de la plupart rendit plus aisée notre tâche. Préposé au premier étage, je trouvai des chambres vides, à l'exception occasionnelle d'un meuble oublié çà ou là. Aussi fus-je rapidement rendu à la dernière pièce, garnie d'une seule commode. Les trois premiers tiroirs ne contenaient rien. Le quatrième, après avoir résisté à mes efforts, céda si brusquement que je lâchai prise, le projetant violemment sur le sol. Alerté par le bruit, Holmes accourut pour me trouver pétrifié et hagard, fixant stupidement une forme sombre logée dans un coin du tiroir.

«Pardonnez-moi, dis-je, c'est l'effet de surprise. J'ai pensé un instant qu'il s'agissait d'un rat mort, ou de quelque petite créature à fourrure. Je constate maintenant que ce n'est rien d'autre que de la moisissure, probablement du pain en décomposition. Voilà tout mon maigre butin, mon cher. J'aurais sans doute été plus efficace si vous aviez daigné me dire ce que nous cherchions!

— Nous ne cherchons rien, répliqua Holmes. Nous faisons semblant de chercher.»

Il s'était approché de la fenêtre qui donnait sur la cour.

«Venez par ici, Watson. Jetez un œil au-dehors et dites-moi ce que vous pensez.»

J'aperçus un jeune gars qui coupait du petit bois. Penché sur son ouvrage, il ne me laissait voir que sa chevelure noire et bouclée. Lorsqu'il se redressa, je jugeai sa silhouette courtaude et trapue, et son teint étonnamment basané.

«Holmes! m'écriai-je. Ce garçon pourrait être un gitan!

— On ne saurait le jurer, Watson. Tout comme Londres, Edimbourg est un port de mer, donc un lieu cosmopolite. Toutefois, vous n'avez probablement pas tort. Nous voici donc en possession d'une pièce supplémentaire de notre puzzle : après la victime, la date, le mobile, la méthode, nous tenons désormais un suspect!

— Mais Holmes! protestai-je. Si telle est votre conviction, il ne suffit pas de le constater. Il faut agir!

— C'est bien mon intention. Retournons chez McIntyre et patientons. Nous pourrions attendre ici, mais la demeure de votre ami médecin est mieux chauffée que celle-ci.»

4

Une curieuse exhumation

Dix jours environ avaient passé depuis notre première et unique visite à Buchanan. Lorsque Holmes avait dit qu'il faudrait attendre, j'avais tout naturellement demandé ce que nous attendions. Au cours de notre déjà longue collaboration, j'avais souvent été troublé par l'ambiguïté des réponses de mon ami, au point que l'on percevait mal s'il était simplement sincère ou délibérément évasif. Cette fois encore, il m'en fit la démonstration en déclarant laconiquement : «Je l'ignore.» Il ajouta toutefois : «Je le saurait peut-être lorsque cela se produira.»

Holmes avait lui-même énuméré les pièces du puzzle que nous avions rassemblées : «une victime, une date, un mobile, une méthode et maintenant un suspect». En toute logique, j'en déduisis qu'il attendait une initiative du suspect, sans toutefois comprendre comment il comptait en avoir connaissance, ledit suspect résidant au 47 Amherst Street, et nous-mêmes sur Charlotte Square! Pour des raisons qui m'échappaient, Holmes semblait considérer ce fait comme un détail sans importance. Aussi quiconque n'eût pas été averti des motifs réels de notre venue à Edimbourg eût été excusable de supposer que nous étions de simples touristes en goguette!

Le temps, froid mais beau, se prêtait très bien à la promenade. Aussi visitâmes-nous assidûment la ville, qui se révéla fort belle et intéressante. En d'autres circonstances, j'aurais sans doute pris du plaisir à cet interlude touristique qui, pour être franc, me mit dans l'embarras. J'avais le sentiment que nous abusions de la généreuse hospitalité de McIntyre, sentiment exacerbé chaque fois que j'écrivais à Mary — ce qui se produisait fréquemment. Loin de lui annoncer un quelconque progrès de l'enquête, je me contentais de lui narrer diverses anecdotes glanées lors de nos sorties, telles que la parade de la Garde royale d'Ecosse dans Princes' Street ou encore la «prouesse» de ce mendiant aveugle qui, à la terrasse d'un café sur St. Andrew Square, lisait la Bible à voix haute, suivant les lignes du bout du doigt bien que personne ne l'eût jamais vu tourner la page! Certes, Holmes s'était rendu plusieurs fois à la bibliothèque des Avocats, à St. Giles, ainsi qu'à la bibliothèque de l'Université et à la Maison du Registre de Princes' Street — l'équivalent de nos Archives nationales, à Londres. Son but avoué était de voir confirmées, par des documents officiels, certaines données relevées dans les papiers de la famille Buchanan. Quant au succès de son entreprise, je ne puis l'attester car il ne me fit aucune confidence.

En revanche, l'oisiveté et la nonchalance apparentes de mon compagnon provoquèrent mon irritation et m'inspirèrent des pensées que je ne puis, aujourd'hui, considérer sans honte. Je me les reprochai d'abord comme des élucubrations sans fondement, que je tentai de chasser de mon esprit; mais, les jours passant, j'acquis la troublante conviction d'avoir vu juste. Aussi, plusieurs fois, fus-je sur le point de témoigner à Holmes ma désapprobation et de l'accuser d'une indélicatesse dont je le croyais jusqu'alors incapable.

Ce jour-là, comme les précédents, avait été consacré exclusivement au tourisme. L'après-midi, nous avions fait l'ascension de l'*Arthur Seat*, point panoramique situé au sommet d'une colline, à l'est d'Edimbourg, d'où le regard embrassait la ville tout entière ainsi que les montagnes du Pentland, au sud, et le long ruban formé par la côte du Firth of Forth, au nord. Vu d'ici, le majestueux château d'Edimbourg lui-même paraissait un microbe à nos pieds.

La marche nous avait fatigués, sans pour autant porter atteinte à notre appétit. Même Holmes, peu porté d'ordinaire sur la chère, fit largement honneur au savoureux rôti de bœuf d'Ecosse que l'on nous servit au dîner. Alors que le repas s'achevait, McIntyre fut appelé pour une urgence. En son absence, il nous invita, Holmes et moi, à nous installer dans le fumoir en compagnie d'une bouteille d'excellent porto. Délaissant les fameux Havane offerts par notre hôte au profit de sa pipe, Holmes prit place auprès du feu. Son attitude générale et l'expression de son visage laissaient supposer qu'il s'octroyait un moment de détente

— supposition qui fut démentie par les propos qu'il me tint.

«J'ai bien conscience, Watson, que ces derniers jours ont nourri votre réprobation à mon égard, fût-elle muette. Je crois également en connaître la cause, mais j'en suis fort désappointé.

— Si vous en connaissez la cause, fis-je un peu sèchement, je ne vois pas la raison de votre déception.

— Ce qui me désole, c'est que vous n'ayez pas jugé bon de formuler clairement vos reproches.»

En fin stratège, Holmes avait parfaitement manœuvré pour me tendre son piège. Etait-ce parce que je ne vivais plus à Baker Street? Je ne supportais plus d'être constamment manipulé par Sherlock Holmes. Et l'étrange accumulation d'apparentes «coïncidences» qui avait déclenché mon départ pour Edimbourg était encore fraîche dans ma mémoire. Si Holmes tenait à connaître le fond de ma pensée, j'allais le lui livrer. Nous verrions bien qui aurait le dernier mot!

«Vous croyez la vie d'Athol Buchanan menacée. Vous suspectez ce jeune gars, Alexander, d'être un meurtrier en puissance. La mort de Buchanan surviendra par administration d'un poison qui restera indétectable très longtemps. Il mourra d'une phtisie foudroyante et incurable. Entre le moment où le poison sera absorbé et l'apparition des symptômes fatals, le meurtrier aura eu le temps de disparaître. A supposer qu'il soit arrêté, son alibi sera imparable : il se trouvait à des kilomètres de là lors de l'*accident*. Aucune trace de poison ne sera trouvée dans le corps de la victime.

— Voilà une prédiction bien pessimiste! s'exclama Holmes. Pour autant, elle n'est pas invraisemblable. Mais continuez, mon cher Watson.

— Puisque personne ne monte la garde ni auprès de Buchanan ni auprès de son jeune employé, un seul indice pourra vous mettre la puce à l'oreille — à savoir, un éventuel départ d'Alexander. Alors, vous saurez que le poison a été administré. Mais quel but visez-vous, Holmes? Sauver la vie d'un homme, ou identifier un poison inconnu? Car si vous attendez ce signal, vous aurez certes le poison : dans le sang de Buchanan! A notre arrivée à Edimbourg, votre première visite fut pour le laboratoire de l'Université de médecine. Espérez-vous, en analysant le sang contaminé de la victime, trouver la composition du poison, ou, même, découvrir un antidote ? Le premier point, je vous l'accorde, est réalisable — avec du temps. Mais le second ? Peut-être vous laisse-t-il indifférent, après tout. »

Holmes était resté immobile et impassible.

« Votre discours concorde en tout point avec ce que j'avais imaginé. C'est à moi qu'en revient la faute. Etant donné les éléments dont vous disposez, vous ne pouviez tirer que cette conclusion. De fait, ce que vous avez décrit pourrait arriver, auquel cas je n'aurai d'autre alternative que d'avouer mon échec. Pour l'instant, mon optimisme est tout relatif, quoique j'aie plus agi que vous ne le pensez.

« Je vous dirai tout d'abord ceci : vous me reprochez de n'avoir pas pris les premières précautions d'usage, comme de monter une garde serrée auprès de Buchanan et de l'adolescent. L'histoire du crime est remplie d'affaires où le déploiement des précautions les plus sophistiquées ne fut d'aucun secours. Réfléchissez bien, Watson, à ce que nous entendons par "poison inconnu". Est-ce une poudre, un liquide, un gaz même ? Comment est-il véhiculé jusqu'au sang : par absorption, par inhalation, par un contact épidermique ? Dresser la liste de toutes ces possibilités nous prendrait la nuit. Aussi ai-je préféré suivre une autre méthode. Certes, elle implique un risque considérable, mais j'ai sur ce point le plein accord de l'intéressé. »

Tandis que McIntyre et moi-même fouillions avec application la maison de Buchanan, Holmes avait mis à profit notre éloignement pour s'entretenir en privé avec le maître des lieux. Ayant constaté, lors de notre court passage dans la cuisine pour saluer Mme Campbell, que le jeune apprenti vaquait dans la cour, mon ami s'enquit des circonstances dans lesquelles il avait été embauché. On lui raconta que Duncan, le prédécesseur d'Alexander, avait disparu soudainement et sans un mot d'explication. Lorsque Alexander s'était présenté, le lendemain même, pour offrir ses services, Buchanan n'y avait vu qu'un heureux hasard. Tel ne fut pas l'avis de Holmes qui trouva là un indice supplémentaire de la probable culpabilité du jeune homme. Buchanan proposa de remercier son employé, mais Holmes y opposa quelque réticence : si Alexander était réellement le meurtrier, mieux valait le garder à portée de vue.

« Rappelez-vous, Watson, la réflexion que vous m'avez faite dans la maison. Vous avez dit que vous auriez été plus efficace si je vous avais informé de ce que nous cherchions.

— A quoi vous avez répliqué que nous ne cherchions rien.

— J'ai ajouté que nous *faisions semblant* de chercher — McIntyre et vous, du moins. Pour ma part, je m'entretenais avec Buchanan, dans une pièce d'où nous pouvions surveiller Alexander. Campbell, suivant mes directives, sortit avertir le jeune homme de notre présence et de ses motifs. Imaginez, Watson, que vous ayez dissimulé un objet compromettant dans la maison ou à proximité. Apprenant que des inconnus... »

Holmes n'eut pas besoin d'en dire plus. Naturellement, je me serais empressé d'aller vérifier la fiabilité de ma cachette. Or l'intéressé avait continué, imperturbable, à couper son petit bois.

« J'en conclus, poursuivit Holmes, que le poison ne se trouvait pas encore dans la maison. Sera-t-il livré à domicile par un complice, ou Alexander ira-t-il le chercher lui-même ? Voilà le point que j'espère éclaircir. »

Holmes s'interrompit un moment. Il ne me fallut aucun effort intellectuel particulier pour comprendre que cet objectif serait difficile, sinon impossible, à atteindre. Comment surveiller toutes les allées et venues d'Alexander, ou celles de visiteurs étrangers à la maison?

«Comme vous, Watson, j'ai craint un moment que ce ne fussent là des obstacles insurmontables. J'ai désormais acquis la certitude inverse. J'ai également avancé dans mes recherches, ces derniers jours. Les papiers de famille de Buchanan contiennent des informations que j'ai pu confirmer par recoupement avec d'autres documents. L'une de ces informations pourrait se révéler capitale par la suite. Si j'y ajoute le dossier que je vous ai dit détenir à Baker Street, je suis persuadé de pouvoir prédire, à trois jours près, la date à laquelle sera administré le poison. Mais ce n'est pas tout. De ce fameux "poison inconnu" qui nous préoccupe, nous connaissons trois caractéristiques : l'effet différé, la mort subite et l'absence de trace dans le corps de la victime. N'oublions pas, pour autant, l'aspect le plus extraordinaire de l'affaire, à savoir le secret qui entoure la formule de ce produit, depuis des centaines — voire des milliers — d'années! A cela, je ne vois qu'une explication : peu de gens, au cours des siècles, furent mis au courant, et les rares initiés durent veiller farouchement à entretenir le mystère, comme s'il s'était agi d'un rite sacré.

« Plus concrètement, cela implique que toutes les précautions doivent être prises pour empêcher une découverte accidentelle du poison. Nous pouvons donc exclure les hypothèses selon lesquelles le produit se trouve déjà chez Buchanan ou doit être livré à domicile. Ces méthodes contiennent une trop grande part de risque. Non, le meurtrier ira lui-même chercher le poison en temps voulu, c'est-à-dire le plus tard possible avant le moment fixé pour son utilisation. »

Tout cela me parut sensé, mais rien, en revanche, ne m'indiquait quand arriverait ce « temps voulu ».

« C'est fort simple, Watson. Alexander ne travaille qu'à mi-temps, mais de façon irrégulière. Si le vieux Campbell souffre de douleurs lombaires, notre suspect risque de devoir renoncer à toute sortie. Or, depuis notre visite, il se trouve que le dos du vieux domestique lui donne de fréquentes alertes. Si donc, comme nous le supposons, Alexander est amené à devoir s'absenter pour la raison mentionnée ci-avant, comment croyez-vous qu'il procédera ?

— J'imagine qu'il prétextera une affaire pressante et grave, et qu'il prendra soin d'avertir son maître bien à l'avance.

— Brillamment pensé, mon cher! C'est exactement ce que j'ai moi-même prévu — et ce que j'attends avec impatience.»

Dans la bouche de Holmes, la théorie semblait convaincante; mais à y mieux réfléchir, je me rendis compte qu'il ne s'agissait que de suppositions et de conjectures — qui plus est, relativement abracadabrantes. Aussi douteux que me parût son plan, j'eusse cependant préféré que mon ami s'en fût ouvert à moi plus tôt, au lieu de me laisser dans cette ignorance qui m'avait fait imaginer les choses les plus folles.

«Vous avez raison, Watson, quoique le terme "abracadabrant" me semble un peu excessif. Je ne vous ai pas caché que mon plan incluait une part importante de risque. Si j'échoue, nous serons réduits à prendre les mesures radicales que vous suggériez tout à l'heure. Quant à mon silence, je crois que vous en avez compris la raison. Entre votre désapprobation muette et les protestations virulentes que vous n'auriez pas manqué d'exprimer, j'ai opté pour la première. Mais cessons de nous quereller. J'ai encore une question à vous poser...»

A son retour, McIntyre trouva Holmes absorbé dans l'étude des papiers de famille de Buchanan, y compris les rapports médicaux établis par le père de McIntyre, au temps où il soignait le père et le grand-père de Buchanan. Quant à moi, je m'étais vu confier l'examen des notes concernant le grand-père.

«Je crains que la matière ne soit pauvre et de faible intérêt, nous dit notre hôte. A l'époque, mon père débutait dans la profession, assurant l'intérim d'un certain docteur Thomas.

— Là n'est pas la question, fit Holmes un peu brutalement. Ce qui m'intrigue, c'est cette curieuse annotation au crayon, probablement ajoutée bien après la rédaction de l'ensemble : la mention "B et H", suivie d'un point d'interrogation.

— J'ignore de quoi il peut s'agir, répliqua McIntyre. Certes, le "B" pourrait signifier Buchanan, mais quant au "H"... A ma connaissance, ce n'est pas une abréviation employée dans le milieu médical. Sans doute faut-il voir là une référence à un événement de l'époque.

— Dans ce cas, dis-je, je ne vous serai d'aucune aide. Avant mon arrivée ici, Edimbourg se résumait pour moi à trois formules : capitale de l'Ecosse, château et, bien entendu, Burke et Hare, les fameux déterreurs de cadavres!

— Je ne vois pas ce que Burke et Hare viendraient faire dans cette histoire, rétorqua McIntyre. Cela dit, les dates concordent.

— Pourriez-vous me rafraîchir la mémoire au sujet de ces individus? demanda Holmes.

— Il n'y a pas grand-chose à dire. La légende a fait d'eux des déterreurs de cadavres, mais c'est inexact. Ils procurèrent des corps, seize au total, à un certain docteur Knox. Mais ce n'est pas dans les cimetières qu'ils les trouvèrent : ils commirent en fait des assassinats! Malheureusement pour eux, leur *client* utilisa les cadavres pour des cours publics d'anatomie, et certaines des victimes furent identifiées par ses auditeurs! Hare dénonça son complice, et Burke fut pendu. Son squelette est exposé au muséum de l'université.

«Voilà. Je doute que mon récit vous soit d'un grand secours. Burke et Hare commirent leurs crimes en 1828, et c'est en janvier de cette même année que décéda le grand-père de Buchanan. C'est la seule connexion que l'on puisse établir entre les deux événements. Si toutefois vous souhaitez de plus amples renseignements, je puis vous prêter un ouvrage ayant appartenu à mon père, qui relate par le menu le procès de Burke et Hare.»

Holmes se montra intéressé. McIntyre et moi-même l'abandonnâmes à sa lecture pour aller nous coucher.

En dépit de mes efforts, je persistais à arriver bon dernier à la table du petit déjeuner. Le lendemain de cette longue soirée ne fit pas exception à la règle. A mon entrée dans la salle à manger, je fus apostrophé par McIntyre, qui me pria de me servir au buffet sans perdre un instant.

«Je vous recommande tout particulièrement le *kedgeree*. Le bœuf, reliquat de notre dîner d'hier, et le jambon sont également excellents. Je sais que votre ami et vous-même vous contentez habituellement d'une collation très frugale au lever. Ce matin, toutefois, je ne saurais trop vous conseiller un repas consistant. Holmes, à ce qu'il m'a dit, doit nous faire une révélation qui va enflammer nos imaginations. Aussi, puisque votre ami refuse obstinément d'avaler autre chose que ses toasts et son café, je propose que vous et moi, Watson, emmagasinions quelques nourritures terrestres, avant les nourritures intellectuelles que nous a concoctées Holmes! En outre, vous constaterez qu'un estomac bien rempli est la meilleure protection qui soit contre le froid. On m'a dit qu'il a neigé, cette nuit, sur les montagnes du Pentland. »

Holmes nous prévint d'emblée que son récit n'apporterait aucun éclairage nouveau sur l'affaire Buchanan, mais il prétendit avoir résolu le mystère de l'annotation au crayon faite par le père de McIntyre. Il avait, comme nous le savions, veillé fort tard afin de lire l'ouvrage qui relatait le procès de Burke et Hare. Contre toute attente, il avait découvert entre les pages du livre un certain nombre de coupures de presse, extraites du *Caledonian Mercury* de l'époque, ainsi qu'un opuscule recelant de prétendus aveux de William Burke (Burk dans le texte) faits devant le substitut du procureur et un prêtre catholique, une semaine avant son exécution.

Ouvriers d'origine irlandaise, Burke et Hare vivaient à Tanner's Close, à Edimbourg. Leurs revenus provenaient de deux maisons louches, qu'ils géraient en location avec l'aide de deux femmes, Nell Macdougal et Maggie Laird.

En août 1828, un de leurs locataires, un soldat, heurta dans l'escalier Burke et Hare, qui transportaient une caisse à thé contenant le cadavre d'une femme. Avec le choc de la collision, le couvercle se souleva. Les deux complices jurèrent que le soldat n'avait rien pu voir mais Nell Macdougal, qui avait assisté à la scène, jugea plus prudent de ne plus commettre de meurtres tant qu'ils n'auraient pas la certitude que la police n'avait pas été prévenue. Une précaution qui reçut l'aval de Hare, mais pas celui de Burke. Ce dernier, très porté sur la boisson, avait besoin d'argent frais pour s'adonner à son vice. Ce matin-là, en passant devant le cimetière de Carlton, il avait été témoin d'une inhumation. Et, avait-il ajouté, «pas de barbelés pour compliquer le travail!»

Malgré ses réticences, Hare suivit son

acolyte, la nuit même, jusqu'au cimetière de Carlton.

« Je vais vous livrer la première clé du mystère, nous annonça Holmes. Ecoutez les propos de Hare, tels qu'ils furent rapportés dans le *Caledonian Mercury*. »

Depuis deux jours, Willie n'avait pas des-soûlé. Je ne sais où il avait trouvé l'argent. Il m'avait dit connaître l'emplacement de la tombe, mais nous mîmes un bon bout de temps à la localiser. Je lui dis qu'il se trompait d'endroit. On voyait bien que la terre n'avait pas été retournée depuis longtemps. Il me lança une bordée d'injures... et me menaça de sa pelle. Il me hurla que l'homme enterré le matin s'appelait Stuart Buchanan, et n'était-ce pas le nom inscrit sur la tombe ? J'aurais pu répliquer que, si l'homme venait d'être mis en terre, il n'y aurait pas encore de pierre tombale. Mais je ne pipai mot, car il n'aurait pas hésité à me tuer.

Chacun à notre tour, nous creusâmes, pendant que l'autre tenait la torche. C'est Burke qui mit au jour le cercueil et qui souleva le couvercle. Ce que nous découvrîmes à l'inté-rieur nous glaça d'effroi. J'avais entendu dire que les cheveux continuent à pousser après la mort — mais pas à ce point. Le cercueil était plein. Moi, ça m'a fait un drôle de coup. Burke, lui, s'était défilé, me laissant seul pour combler la fosse.

«Votre père, McIntyre, a souligné le texte au crayon, et a inscrit un point d'interrogation dans la marge. Il se posait la même question qui nous vient à l'esprit aujourd'hui. Est-ce par hasard que Burke et Hare ont déterré la dépouille du grand-père de Buchanan ?

— Les cheveux..., fit McIntyre d'un air pensif, exprimant ma propre pensée.

— Il est impossible qu'ils continuent à pousser après la mort », remarqua Holmes.

McIntyre et moi-même approuvâmes. Cette croyance est assez répandue, mais c'est en réalité le resserrement de la peau qui donne cette impression.

« Peut-être est-ce un détail sans importance, fit Holmes, mais je serais curieux de savoir ce que Hare a réellement vu.

— Impossible, mon cher, répondit McIntyre. Même s'il vous prenait l'idée de jouer à votre tour les déterreurs de cadavres, le cimetière de Carlton est fermé et livré aux herbes folles depuis des années. »

L'arrivée de McAlistair mit un terme à notre discussion.

« Un message pour M. Holmes, de la part de M. Buchanan. Le coursier qui l'a délivré a dit que c'était urgent. »

5

Nuit de veille

Il n'était pas loin de minuit, ce jeudi 18 octobre, lorsque Sherlock Holmes et moi-même hélâmes un coche sur Charlotte Square, à destination de Amherst Street. Le message de Buchanan, qui avait interrompu notre petit déjeuner, était arrivé l'avant-veille. Au cours de ces deux jours, Holmes s'était absenté à plusieurs reprises de la maison, prétextant diverses menues affaires à régler. Encore tout honteux et confus suite à mon récent accès de mécontentement, je n'osai le presser de questions, comme pourtant ma curiosité me soufflait de le faire.

Une chose était sûre : une fois encore, Holmes avait réalisé ce qui m'avait paru impossible. Ses prédictions, que j'avais un peu rapidement taxées de «folles conjectures», se révélaient désormais extrêmement perspicaces et sensées. Dans sa lettre, Buchanan nous informait qu'Alexander avait formulé une requête pressante pour pouvoir disposer de l'après-midi du jeudi 18 octobre. Le prétexte allégué était son désir de se rendre au pont ferroviaire sur le Forth afin d'assister à la mise en place de la première des trois consoles — opération qui promettait d'être aussi spectaculaire que délicate.

La construction des deux ponts ferroviaires sur le Forth et le Tay avait débuté en 1882. L'année passée, en 1887, le pont du Tay avait été achevé. Quant au pont du Forth, si la fin des travaux n'était prévue que pour 1890, le chantier en était déjà bien avancé et constituait un but de promenade fort prisé des habitants d'Edimbourg. Lors de notre montée à l'*Arthur's Seat*, Holmes et moi avions aperçu de loin le pont mais, pour une observation rapprochée, il fallait se rendre à Queensferry, port maritime à l'embouchure du Forth, à une douzaine de kilomètres du centre-ville.

Sans doute sur les conseils de Holmes, Buchanan avait veillé à ce que sa lettre — et notre éventuelle réponse — fût délivrée dans la plus grande discrétion. Dans ce but, il avait choisi pour messager un gamin qui, ne sachant ni lire ni écrire, ne risquait pas de comprendre le sens de cette missive confidentielle. La réponse, en réalité, fut portée dès le lendemain par McIntyre en personne, sous le prétexte d'une visite de routine à Mme Campbell. Holmes avait cacheté sa lettre, si bien que ni McIntyre ni moi-même n'en connaissions le contenu.

La voiture nous déposa à l'extrémité de Amherst Street, Holmes désirant ne pas attirer l'attention lors de notre arrivée chez Buchanan. La distance restant à parcourir était très faible, ce dont je me félicitai car la nuit était particulièrement froide, et les pavés fort glissants. Les maisons d'Amherst Street — comme dans toutes les rues d'Edimbourg ou presque — étaient surélevées par rapport à la rue. En conséquence, le sous-sol se trouvait presque au niveau de la rue, tandis que le rez-de-chaussée ne s'atteignait qu'après avoir gravi une importante volée de marches. Ce détail architectural, que j'avais trouvé pittoresque, me parut soudain moins plaisant lorsque j'appris que nous n'entrerions pas au n° 47 par la porte, mais par l'une des fenêtres du rez-de-chaussée !

Je me livrai à ce périlleux exercice sans en saisir immédiatement le but. Lorsque Holmes et moi eûmes enfin mis le pied dans une pièce où régnait une obscurité totale, je reconnus la voix de Buchanan, qui ferma doucement la fenêtre derrière nous, tira les rideaux puis, seulement, alluma une lampe. Je reconnus alors la vaste pièce au mobilier hétéroclite où nous avions été accueillis lors de notre première visite.

«Avez-vous suivi mes instructions à la lettre?» demanda Holmes.

Buchanan acquiesça.

«Alexander est sorti à midi. Il a accepté, comme vous l'aviez prévu, de faire un bout de chemin sur la charrette du charbonnier. Ainsi, nous avons la certitude qu'il a effectivement pris la direction de Queensferry. Il est rentré à la tombée de la nuit. Depuis, suivant vos consignes, je n'ai rien ingurgité, ni solide, ni liquide, et j'ai évité tout contact avec le suspect. A dix heures, j'ai invité les époux Campbell à se retirer. A onze heures, j'ai regagné bruyamment ma chambre — qui se trouve à l'aplomb de cette pièce — avant de redescendre à pas feutrés jusqu'ici, où je me suis enfermé. Alexander et les

Campbell sont, à ma connaissance, couchés, et ne peuvent soupçonner que je ne le suis pas.

— Parfait, répondit Holmes. Il ne reste plus qu'à attendre. Et ne me demandez pas ce que nous attendons! Dorénavant, ce sont les événements qui nous dicteront la conduite à tenir. Dites-moi, cette pièce est-elle bien insonorisée?

— Plutôt, oui. Naturellement, si nous faisions grand bruit, ou que nous nous mettions à vociférer, on pourrait nous entendre. L'inverse n'est pas vrai. Vous aurez constaté, messieurs, que le reste de la maison est dépourvue de tapis et que les parquets craquent. Si quelqu'un venait à bouger, nous en serions aussitôt alertés. J'ai pris soin de constituer une bonne provision de charbon, afin de nous épargner le désagrément supplémentaire du froid.»

Lorsque nous fûmes confortablement installés devant un bon feu, les langues se délièrent. Holmes entreprit de rapporter à Buchanan la troublante relation qu'il avait établie entre son grand-père, Stuart, et les deux sinistres personnages qu'étaient Burke et Hare. Sans doute avait-il espéré se faire confirmer le fait que l'aïeul avait été enterré au cimetière de Carlton. Si notre hôte corrobora ce fait, il se montra en revanche moins affirmatif sur le reste du récit.

« Buchanan, vous ne l'ignorez pas, est un nom très répandu à Edimbourg. Quant au prénom Stuart, il était très fréquemment utilisé au début de ce siècle. J'ai souvenir que mon père m'avait dit un jour qu'il n'y avait pas moins de cinq Stuart Buchanan ensevelis dans ce même lieu ! Mais laissez-moi plutôt vous conter comment et pourquoi on en vint à fermer ce cimetière — dans des circonstances pour le moins singulières.

« En certains points de notre ville, affleure une roche que l'on nomme *schiste bitumineux*. Comme son nom l'indique, il s'agit d'un schiste imprégné d'une substance huileuse naturelle. On en trouve dans la colline qui surplombe le cimetière de Carlton. Lors de la deuxième décennie de ce siècle, des travaux de construction furent entrepris dans ce secteur, qui mirent au jour une source. Si l'on put craindre un moment des incidences néfastes, on oublia rapidement l'affaire, car quelques jours plus tard, l'eau avait disparu, sans doute déviée sur un autre itinéraire souterrain. Personne, à l'époque, ne remarqua que la

88

source était infiltrée dans des fissures du schiste bitumineux, charriant jusqu'au cimetière un déplaisant mélange d'eau et d'huile. Les effets mirent plusieurs années à se déclarer. Les fossoyeurs qui rapportèrent qu'ils avaient trouvé la terre, et même certains cercueils, gorgés d'huile, furent poliment éconduits. Il fallut attendre que toute la végétation, de l'herbe aux arbres, commençât à dépérir, pour que l'on prît le problème au sérieux. Toutes les tentatives pour localiser et dévier la source, ou encore pour reboiser le cimetière, furent sans effet. On finit par fermer le cimetière et on éleva un mur d'enceinte pour dissimuler cette débâcle. Voilà, monsieur Holmes, une histoire bien édifiante, n'est-ce pas ? Mais je crains qu'à l'instar de votre propre récit, elle ne présente aucun lien avec l'affaire qui nous préoccupe. »

Holmes le reconnut volontiers. En guise de rafraîchissements, il avait apporté des bouteilles de vin rouge et d'eau. Ces boissons, ajoutées à la chaleur du foyer et à l'entrain de la conversation, nous aidèrent à passer plaisamment les premières heures. Ce ne fut pas le cas des suivantes. Après avoir puisé sans compter dans le stock de charbon, nous commençâmes à nous montrer plus économes et un froid insidieux s'empara de tout mon corps. Quant à la conversation, elle s'était tarie. Une demi-heure se passa dans le silence, puis je remarquai que Buchanan s'était assoupi. Malgré ma détermination à rester éveillé, j'avais le plus grand mal à garder mes paupières ouvertes. Je me voyais sur le point de sombrer à mon tour dans le sommeil, lorsque je constatai que Holmes scrutait attentivement le plafond. En tendant l'oreille, je crus percevoir de faibles sons, sans parvenir à localiser précisément leur provenance. A ma montre, il était six heures trente, et je supposai qu'il pouvait s'agir des domestiques qui se levaient. Je proposai d'éveiller Buchanan, qui dormait toujours du sommeil du juste, mais Holmes m'en dissuada. Pour l'heure, il jugeait préférable de ne pas bouger de notre retraite.

Le feu se mourait, et nous avions épuisé notre provision de combustible. Il faisait froid dans la pièce. Mes sentiments se partageaient entre l'exaltation et l'impatience, et mon esprit s'affolait au moindre bruit. Pendant plusieurs minutes d'affilée, des bruits répétés nous étaient parvenus, que j'avais identifiés comme venant de la cuisine. Il était maintenant presque sept heures trente. A l'instant précis où la grosse aiguille de ma montre atteignait la verticale, je sursautai : le fracas d'un objet brisé résonna jusqu'à nous, immédiatement suivi par un cri étouffé. Un cri qui traduisait une réelle angoisse.

Maintenant tout à fait éveillé, Buchanan se tenait droit comme un I sur sa chaise. Holmes et moi nous étions levés, et pour ma part je serrais dans ma paume le vieux revolver de l'armée qu'en partant j'avais glissé dans ma poche.

«Je ne pense pas que vous aurez besoin de votre arme, Watson», me dit Holmes.

Puis il se tourna vers Buchanan.

«Pardonnez-moi, mais il faut que vous restiez ici. Vous fermerez la porte à double tour derrière nous. N'ouvrez à personne en dehors de Watson et moi-même.»

Je suivis Holmes dans le couloir et dans l'escalier menant à la cuisine. Dans l'entre-bâillement de la porte, nous reconnûmes la silhouette caractéristique de Campbell, de dos et parfaitement immobile. Nous eûmes beau approcher, il resta cloué au sol, si bien que nous dûmes le pousser pour entrer dans la pièce.

Nous comprîmes aussitôt l'origine du fracas : un broc et une cuvette de porcelaine, comme on en trouve dans toutes les chambres, s'étaient brisés en tombant à terre. Une infinité de débris jonchaient le sol, tandis qu'une grosse flaque d'eau se répandait dans les fissures de la pierre. Campbell retrouva soudain sa langue.

« C'est impossible ! Je les avais posés sur la table. Ils n'ont pas pu tomber tout seuls !

— De fait, Campbell, ils ne sont pas tombés tout seuls. De même que la porte de la cour, qui laisse pénétrer un courant d'air glacé, ne s'est pas ouverte de son propre chef ! Dites-moi, que comptiez-vous faire de ce broc et de cette cuvette ?

— Les apporter dans la chambre de M. Buchanan ; mais auparavant, j'y aurais versé un peu d'eau chaude de la bouilloire. Voyez-vous, il n'aime pas l'eau froide.

— Je vois, je vois... Et à quoi lui sert cette eau ? Très précisément.

— Eh bien... Je... Enfin, vous savez bien... »

Holmes saisit le vieil homme par le bras et le secoua sans ménagements.

« Concentrez-vous, que diable ! Et répondez à ma question. Que fait-il avec cette eau, en premier lieu ? »

Le pauvre bougre tremblait maintenant de tous ses membres.

Croquis de Watson

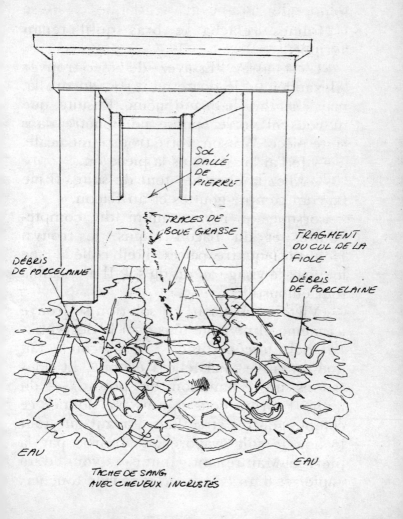

SOL DALLÉ DE PIERRE

TRACES DE BOUE GRASSE

FRAGMENT OU CUL DE LA FIOLE

DÉBRIS DE PORCELAINE

DÉBRIS DE PORCELAINE

EAU

EAU

TACHE DE SANG AVEC CHEVEUX INCRUSTÉS

« Peut-être M. Buchanan se rince-t-il la bouche ? suggérai-je.

— Oui, c'est cela. Ensuite, il fait sa toilette et... »

Holmes relâcha le bras qu'il tenait agrippé.

« C'est assez. Essayez de me trouver Alexander — je doute qu'il soit encore là, mais cherchez-le quand même. Ensuite, que ni vous ni votre épouse ne pénètre dans cette pièce. Watson, votre trousse médicale.

— Je l'ai laissée dans la pièce où...

— Allez la chercher tout de suite. Il me faut un compte-gouttes et un flacon. »

Lorsque je revins, muni du compte-gouttes et du flacon requis, je trouvai Holmes à quatre pattes, l'œil collé à une loupe et le visage au ras du sol. Il me sembla tout émoustillé.

« Victoire, Watson ! La solution se trouve ici même, il ne reste plus qu'à la décrypter. J'ai déjà une certitude : le garçon a fait une tentative, mais elle a échoué. Et nous tenons un échantillon du poison — du moins l'aurons-nous si vous me donnez ce compte-gouttes et ce flacon avant que tout le liquide soit évaporé ou absorbé par la pierre. Maintenant, munissez-vous d'un papier et d'un crayon et, sans rien toucher, dessinez-moi un croquis détaillé de ce que vous voyez. Quand vous en aurez fini, j'aurai peut-être quelques adjonctions à y apporter.

— Fort bien, dis-je. Buchanan nous attend dans le salon. Puis-je lui annoncer que ses jours ne sont plus en danger?

— Qu'il nous rejoigne ici. Mais il serait prématuré de croire tout péril écarté!»

6

La dernière victime

Les deux heures qui suivirent furent riches en péripéties. A l'aide du compte-gouttes procuré par mes soins, Holmes entreprit de ramasser l'eau répandue sur le sol. Il en remplit non seulement le flacon que je lui avais apporté, mais également la moitié d'un second flacon — ce dont il parut fort satisfait.

De mon côté, je dessinai le croquis demandé, tandis que Buchanan, qui nous avait rejoints, nous observait en silence. Après une bonne demi-heure passée à genoux, Holmes se redressa un peu gauchement.

« Pardonnez-moi, dit-il, si j'ai fait durer le suspense. Il était urgent que je procède à ces quelques relevés, avant que les preuves ne disparaissent. Les conclusions que j'en tire sont relativement simples. Comme nous l'avions prévu, Alexander est rentré hier soir avec, en sa possession, une petite bouteille de verre contenant le poison. Ce matin, alors que Campbell était allé chercher une bouilloire dans la pièce attenante, il tenta de verser le poison dans la cruche, déjà à demi pleine d'eau froide. Cette cruche, Buchanan, était destinée à être placée dans votre chambre où, selon toute probabilité, votre premier geste eût été de vous rincer la bouche avec cette eau contaminée. Un geste qui se serait révélé fatal!

« Toutefois, nous ignorons si la substance mortelle fut effectivement instillée dans l'eau ou non. Tout ce que nous savons, c'est que le jeune homme a trébuché sur une matière visqueuse — qu'elle fût déjà sur le sol, ou qu'il l'eût apportée sous ses semelles. Il s'agit d'un mélange de boue et d'un corps gras que je n'ai pu encore identifier. Le prélèvement que j'ai effectué permettra une analyse, mais cela devra attendre. Les marques sur le sol nous indiquent qu'il a glissé sous la table et, ce faisant, sans doute a-t-il tenté de se raccrocher à l'un des pieds, sans autre résultat que de renverser le broc et la cuvette. L'arrière de sa tête heurta le sol, comme l'atteste très distinctement cette tache de sang où sont incrustés des cheveux. Et, surtout, il laissa tomber la fiole qui contenait — ou avait contenu — le poison.

«J'ai retrouvé un fragment du cul de la fiole. Qu'en ai-je déduit? La forme et la taille de la bouteille, le fait qu'elle contenait un liquide et non une poudre et, plus important encore, la certitude que le poison s'est répandu sur le sol — qu'il eût ou non été préalablement versé dans le broc. Ainsi, les deux flacons que j'ai remplis en contiennent certainement.

— Mais pourquoi, m'écriai-je, a-t-il pris la fuite si précipitamment? Il aurait pu simplement prétendre avoir dérapé, et renversé par inadvertance le broc et la cuvette.

— A cela, répondit Holmes, je vois plusieurs explications possibles. Personnellement, j'opterais pour la panique. Son instinct lui dicta de rassembler les *preuves* que constituaient les fragments de verre brisé et de disparaître avant que l'on ne se mît à sa recherche.

— Dans ce cas, ripostai-je, l'affaire est close et Buchanan ne court plus aucun danger! Pourtant, vous avez dit, Holmes...

— J'ai dit que le péril n'était pas écarté. Et je persiste dans cette opinion! Alexander

doit récidiver. Si mes déductions sont cor-
rectes et s'il entend donner l'illusion que la
malédiction se réalise, il ne lui reste que
quarante-huit heures pour perpétrer son
crime. Le poison, selon moi, revêt une
signification religieuse. L'acte qui consiste à
l'administrer doit être ressenti comme une
mission sacrée, une sorte de rite initiatique.
Je suis persuadé que c'est ainsi que le jeune
homme le conçoit, et c'est pourquoi il ne
peut échouer! Il reviendra tenter sa chance,
quels que soient les risques à courir.»

Avant dix heures, ce matin-là, des dispositions avaient été prises pour que Buchanan préparât quelques affaires et se rendît
chez McIntyre. Son séjour chez le médecin,
selon toute vraisemblance, ne devrait pas
durer plus de deux jours. Holmes était parti
porter ses flacons au laboratoire de chimie
de l'Université de médecine. Quant à moi,
j'étais resté à Amherst Street, en compagnie
de Campbell et de son épouse. Le sol de la
cuisine avait été nettoyé, conformément
aux instructions très précises laissées par
Holmes, et sous ma surveillance.

Deux hommes, qui se présentèrent
comme Messieurs Lightfoot et McCrae, de

l'agence de détectives privés de Canongate, venaient d'arriver. Selon toute apparence, Holmes avait contacté leur établissement l'avant-veille. Malgré mon étonnement, je me gardai de poser la moindre question. Ils justifièrent leur présence en m'expliquant que, si Alexander venait à réapparaître, ils avaient pour mission de confisquer tout objet qu'il aurait en sa possession et de le garder sous leur surveillance jusqu'à l'arrivée de la police. Alexander serait inculpé de vol — cela jusqu'à ce que Holmes eût mené à bien sa propre enquête. Par la suite, le chef d'accusation serait modifié en «tentative de meurtre». Si, à dix-huit heures le soir même, Alexander n'avait pas encore refait surface, Messieurs Lightfoot et McCrae seraient remplacés par deux collègues, et ainsi de suite toutes les huit heures tant que cela serait nécessaire. Quant à moi, j'étais désormais libre de regagner Charlotte Square.

Holmes resta absent toute la journée. A vingt et une heures, Buchanan se retira dans sa chambre. Malgré une courte sieste dans l'après-midi, je ressentis vers vingt-trois heures la fatigue causée par la précédente nuit de veille. A vingt-trois heures quinze, McIntyre monta se coucher et

m'invita à suivre son exemple. Je m'apprê-
tais à le faire lorsque Holmes apparut, frais
et dispos, bien que soucieux, me sembla-t-il.

«Soucieux, Watson? fit-il. Non, je ne
crois pas. Frustré, ou encore impatient,
seraient des termes plus exacts quoique je
n'aie aucun motif réel d'éprouver l'un ou
l'autre sentiment. Vous aurez deviné, mon
cher, que je ne suis pas parvenu, pour
l'instant, à identifier le poison, ni même à
l'analyser. Mais j'aurais été naïf de croire
que la tâche serait aisée. Alexander a-t-il
reparu?

— Non, répondis-je. Du moins, pas que
je sache. Je n'ai reçu aucun message indi-
quant le contraire.

— C'est donc qu'il reste introuvable.
Cette longue absence, je l'avoue, me sur-
prend.»

Souci, frustration, impatience — quelle
qu'eût été la véritable cause du malaise
de Holmes au moment de son retour, je
sentis que l'absence prolongée d'Alexander
le troublait davantage. Toutefois, il ne me
laissa pas l'occasion de m'en assurer.

«Il faut me pardonner, Watson. Ne
croyez pas que je sois insensible à votre
effort pour rester éveillé jusqu'à une heure
aussi tardive. Je sais que vous devez être

101

rompu de fatigue, et ma raison me dicte de rejoindre mon lit sans tarder. Peut-être, cher docteur, pourriez-vous me donner un léger sédatif qui m'apaiserait et m'assurerait quelques heures de sommeil — pas trop toutefois, car il me faut partir de bon matin, demain. »

Le *bon matin* de Holmes, dont je ne fus pas personnellement témoin, dut se situer autour de six heures. A cette heure-là, ayant avalé son frugal petit déjeuner habituel, il quittait la maison en direction de l'Université.

Son retour à vingt heures, le soir même, me parut d'abord de bon augure d'autant qu'ici, à Charlotte Square, nous étions toujours sans nouvelles d'Alexander. Je ne tardai pas à déchanter!

Ayant refusé toute nourriture, Holmes s'effondra sur une chaise et se plongea dans la contemplation muette de ses ongles — une attitude qui, si elle m'était familière, dut mettre relativement mal à l'aise Buchanan et McIntyre. Aussi se sentirent-ils comme obligés de calquer leur réaction sur la mienne, si bien que nous attendîmes tous trois, assis sur nos chaises dans le plus grand silence, que Holmes daignât s'adresser à nous! Ce qu'il fit... après une demi-heure.

« Après avoir filtré toutes les impuretés, que reste-t-il ? De l'eau ! de l'eau aussi pure que celle que boivent tous les habitants d'Edimbourg ! Pas la moindre trace de poison.

— Holmes, hasardai-je, loin de moi l'idée de contester votre compétence en la matière — qui est inégalable, comme chacun sait. Mais vous avez reconnu vous-même que la tâche ne serait pas aisée. Ne peut-on envisager que...

— Que le poison est bien là, mais que je ne l'ai pas décelé ! C'est une remarque qui vous honore, Watson, et je me la suis faite moi-même. J'ai consulté deux professeurs de l'Université, deux chimistes extrêmement compétents. Je leur ai soumis mes résultats, qu'ils n'ont pu que confirmer. Le liquide contenu dans ces flacons est de l'eau, rien d'autre !

— Comment cela est-il possible ? demanda McIntyre.

— Il y a une explication. Et cette explication nous apprend également pourquoi Alexander n'a pas reparu. »

Soudain, la lumière se fit dans mon esprit. Je ne sais qui de nous, le premier, vit clair dans cette affaire, mais ce fut Buchanan qui prit la parole.

« Alexander n'a pas à revenir, car il n'a pas échoué dans sa mission. Si Holmes n'a pas décelé la présence de poison, c'est tout simplement parce qu'il n'y en avait pas. Les événements qui nous ont agités à Amherst Street l'autre jour avaient été minutieusement orchestrés afin de nous induire en erreur. En réalité, le poison m'avait été administré auparavant. Il coule désormais dans mes veines ! »

J'ai de bonnes raisons de conserver un souvenir particulièrement vivace de la semaine qui suivit cette mémorable soirée. Nous n'eûmes guère besoin d'user de persuasion pour convaincre Buchanan de se faire admettre à l'hôpital d'Edimbourg, qui constituait son ultime chance de salut. L'admission d'un homme que deux médecins — McIntyre et moi-même — avaient estimé en bonne santé eût pu susciter l'étonnement et occasionner quelques difficultés. Il n'en fut rien. Je rends grâce ici à Holmes et au docteur Joseph Bell qui, oubliant leur mutuelle hostilité, se dévouèrent conjointement à cette cause essentielle : la vie d'un homme. De même, j'ai la certitude que Joseph Bell ne ménagea ni sa peine ni le crédit dont il jouissait auprès de ses pairs pour faciliter le travail de Holmes et faire bénéficier Buchanan de toutes les compétences médicales que possédaient tant l'hôpital que l'Université.

Rien de tout cela pourtant ne sembla produire le moindre effet. Chaque soir, je voyais Holmes revenir à Charlotte Square plus exténué et abattu que la veille. Très vite, je cessai de formuler des questions dont je devinais les réponses. Holmes n'était pas parvenu à détecter la présence de poison dans le sang de Buchanan. Aucun examen médical n'avait révélé la moindre anomalie.

Une semaine s'était passée depuis le soir où Holmes avait pathétiquement fait état de ce qu'il considérait comme un échec personnel. Ce soir, il avait pris place sur la même chaise et, comme les jours précédents, s'était enfermé dans un mutisme quasi total. Son explosion soudaine n'en fut que plus inattendue.

«Il est inconcevable que j'aie commis pareille erreur! J'ignore quelle ruse satanique nous abuse, mais il faut bien qu'elle ait été conçue par un esprit humain. Si un homme a pu imaginer pareil stratagème, un autre homme devrait pouvoir le démêler, que diable! Il n'y a rien là de surnaturel. En un point précis, ma déduction s'est trouvée altérée. J'implore votre indulgence, messieurs, car il va nous falloir tout reprendre — depuis le commencement.»

J'avais déjà vu Holmes employer cette méthode. Il nous harcèlerait de questions, McIntyre et moi-même, afin que nous réexaminions la moindre décision qu'il avait prise, la moindre action qu'il avait entreprise. Non pas dans l'espoir que nous lui offririons de nouveaux indices, mais bien plutôt pour se pousser lui-même dans ses derniers retranchements et, ce faisant, envisager l'affaire sous un angle différent. Trois heures de discussion âpre, parfois virulente, acerbe même, ne produisirent aucun résultat. Il était maintenant une heure du matin. Holmes nous pria de le laisser seul, avec sa pipe et ses pensées.

Le lendemain, en descendant de ma chambre, je trouvai Holmes attablé devant son petit déjeuner. J'en déduisis que quelque chose s'était passé pendant la nuit. D'ordinaire, il partait pour l'Université deux heures avant que je ne me lève.

Il affichait, ce matin-là, un air détendu, presque réjoui.

Nous étions samedi, aussi McIntyre n'avait-il pas de consultation avant le soir. Holmes en avait conclu que ni McIntyre ni moi-même n'aurions la moindre obligation, et que nous serions donc disponibles dès dix heures. Il s'apprêtait à sortir, mais serait de retour avant dix heures, avec une voiture. Interrogé sur ses intentions, il nous informa simplement que nous nous rendrions à Queensferry.

La voiture se présenta à l'heure dite, et je fus un peu surpris d'y trouver M. McCrae, le détective privé que j'avais brièvement rencontré à Amherst Street. Holmes le présenta à McIntyre.

« La présence de M. McCrae, dit-il, s'explique par un détail qui, jusqu'à présent, m'avait paru sans importance. Comme vous vous le rappelez certainement, messieurs, Alexander eut la *chance* de faire une partie du trajet vers Queensferry sur la charrette d'un marchand de charbon. La chance, en réalité, n'y était pour rien ; j'avais moi-même arrangé l'affaire. De même, ce ne fut point un hasard si, en arrivant au dépôt de Craiglieth, la charrette fut relayée par une autre, conduite celle-ci par M. McCrae ici présent, et qui se rendait à Queensferry.

— Ainsi, s'écria McIntyre, vous connaissez la destination finale d'Alexander !

— Pas tout à fait, corrigea Holmes. Il demanda au conducteur de le déposer en pleine campagne, ce qui ne simplifia nullement la mission de McCrae.

— J'ai bien tenté de le suivre, dit McCrae, mais j'ai perdu sa trace.

— Voilà donc où nous nous rendons, reprit Holmes. A l'endroit précis où McCrae perdit la trace du jeune homme. J'espère y découvrir la réponse à une question que, je l'avoue, je ne m'étais encore pas posée. Toutefois, je ne peux certifier un succès. »

Nous fîmes halte à environ un kilomètre du pont ferroviaire en construction, descendîmes de voiture et partîmes à pied dans la direction qu'avait prise Alexander avant que McCrae ne le perdît de vue. La description de Holmes se révéla conforme à la réalité : il s'agissait en effet de la *pleine campagne*, peuplée de quelques arbres mais sans aucune habitation. Au bout de trois cents mètres, le chemin plongea brusquement, découvrant à nos yeux la côte du Forth. Là encore, pas une seule construction humaine, à l'exception d'un hangar à l'abandon qui jadis, sans doute, avait abrité de quelconques machines. Des barres de fer et de tôle, toutes rouillées, avaient été oubliées là.

« Qu'est-ce donc que cela ? s'enquit Holmes.

— A ce que l'on m'a dit, répondit McCrae, ce bâtiment servait à entreposer des pompes. L'eau créa de réels problèmes lors des travaux de construction de la voie d'accès au pont. A la fermeture du chantier, les machines furent rapportées ici. Par la suite, le hangar fut un temps utilisé pour stocker des bidons d'huile. Depuis deux ans, il est vide, attendant la démolition. Vous pensez peut-être que votre gars a pu y trouver refuge. Je vous arrête tout de suite : j'ai moi-même inspecté les lieux. Si toutefois vous souhaitez juger par vous-même, sachez que le sol est boueux et spongieux, ce qui rend très aisé le repérage d'empreintes de pas. mais vous pouvez me croire, monsieur Holmes, il n'y en a pas ! »

Holmes insista pourtant pour aller y voir de près. La description que McCrae avait faite du sol était en tout point fidèle à la réalité — mais il en eût fallu plus pour décourager Holmes ! Il ne fut satisfait que

lorsqu'il nous eut tous fait pénétrer dans le local et nous eut donné ses instructions pour une investigation — dont l'objet restait pour le moins obscur!

Le hangar était plus vaste que son aspect extérieur ne le laissait supposer. En l'absence de fenêtres, il était plongé dans la pénombre, mais je pus distinguer toutefois qu'il était vide, mis à part quelques tas de ferraille et ce que je pris pour des bidons d'huile. Nous nous étions dispersés afin d'accélérer les recherches. J'avais presque atteint l'extrémité de la pièce et tentais de me frayer un passage au milieu d'un amoncellement de bidons, lorsque la voix de Holmes — un cri presque — me pétrifia.

«Watson! hurla-t-il. Ne bougez pas! Surtout, ne faites pas un pas de plus! Et que personne ne s'approche de lui.»

En quelques secondes, Holmes fut auprès de moi et, geste que je trouvai incongru sur le moment, me saisit par le pan de mon pardessus.

«Reculez d'un pas, Watson. Et maintenant, regardez où vous alliez mettre les pieds.»

Alors, et alors seulement, je compris que ce que, dans la demi-obscurité, j'avais pris pour un plancher, était en réalité le bord d'un gouffre! Holmes alluma une lanterne à la lumière de laquelle j'aperçus un immense trou béant, de quelque quatre mètres de diamètre.

«Il me semble, dit mon compagnon, que cette ouverture devait servir à entreposer certaines machines. Vous avez eu beaucoup de chance, mon vieux. Sans ce providentiel rai de lumière qui s'est glissé par un interstice de la charpente, moi-même je n'aurais pas compris que vous étiez au bord d'un trou.»

Holmes orienta le faisceau de sa lampe vers le bas, sans grand effet toutefois.

«Impossible de jauger au débotté la profondeur de la chose, estima-t-il. Toutefois, je crois pouvoir avancer sans me tromper qu'il y a là nettement plus d'un mètre. Je vois bien une échelle métallique, mais je ne m'y risquerai pas. Les barreaux me paraissent complètement rouillés.»

McCrae et McIntyre nous avaient rejoints. McCrae avait également apporté une lanterne, qui me parut notablement plus grosse et plus puissante que celle de Holmes. Les deux faisceaux projetaient maintenant leur lumière vers l'abîme. Pendant plusieurs secondes, nous restâmes silencieux, cloués sur place par le spectacle qui s'offrait à nous. McIntyre, le premier, exprima notre pensée à tous quatre.

« Mon Dieu ! Qu'est-ce donc que cela ? Ne sont-ce pas des cheveux... de longs cheveux blancs ? La cavité en est remplie. On jurerait qu'ils bougent ! Ou plutôt, que quelque chose bouge en leur milieu. Pour l'amour du ciel, Holmes, de quoi s'agit-il ?

— Il m'est avis, répondit Holmes avec un calme olympien, que la question pertinente serait : De quoi *s'agissait*-il ? Ce que vous voyez remuer fut naguère un être humain, pour être précis un jeune gitan répondant au nom d'Alexander. Sans doute s'est-il rompu une jambe, ou même les deux. En tout cas, il est à l'article de la mort, et je doute qu'il ait encore sa conscience...

— Nous devons descendre le secourir ! » criai-je.

Holmes me saisit le bras avec violence.

« Non, Watson ! La seule délivrance qui s'offre à lui est la mort. Je ne sais dans quel état il se trouve exactement. En revanche, je puis affirmer ceci : quiconque tenterait de descendre dans cette fosse y trouverait son propre tombeau. Et son acte généreux n'aurait servi à rien. Je vous en conjure, Watson, et vous autres également. Nous ne pourrons sauver ce garçon. »

En reconstituant ces affaires, je me suis plus d'une fois heurté à des lacunes dans le récit original. Soucieux de préserver la cohérence de mon propos, j'ai dû, parfois, combler ces vides par des suppositions.

J'ai toute raison de penser, cette fois, que les carnets du Dr Watson prodiguent une description fort complète et détaillée des événements qui se déroulèrent à Queensferry, le samedi 27 octobre 1888 au matin. Par malheur, de nombreuses pages ont été — délibérément, semble-t-il — déchirées. Toutefois, j'ai pu reconstituer la suite de l'épisode ci-dessus mentionné — et fâcheusement interrompu.

Il me faut ici, indiquer une autre source dans laquelle j'ai puisé mes renseignements concernant cette journée du samedi 27. Dans l'édition datée du lundi 29 du Scotsman (le journal local), un entrefilet faisait référence à un incendie, qui s'étant déclaré le samedi en question, « ravagea un vieux baraquement en bois, situé à un kilomètre environ au sud-est du pont sur le Forth ». Il semblait que le feu fût apparu spontanément, le bâtiment ayant servi, récemment, à entreposer des bidons d'huile.

Nous savons que l'adolescent était mourant, en tout cas dans un état désespéré. Quant à ce qui se passa ensuite, trois versions sont envisageables.

La première est si absurde, connaissant nos héros, que je ne m'y arrêterai pas. Elle consisterait à dire que le feu fut mis délibérément, alors que le jeune homme respirait encore.

La deuxième est que, préalablement à l'incendie, le garçon fut tué, dans un acte de pitié. Watson, nous le savons, avait souvent un revolver sur lui. Il n'est pas impossible que McCrae eût également été armé. Quant à savoir qui tira effectivement le ou les coups, là encore nous entrons dans le domaine de la pure spéculation.

La troisième est que le feu se déclara accidentellement. Holmes et McCrae, nous l'avons vu, portaient chacun une lanterne. L'une ou l'autre a pu tomber et mettre le feu au hangar.

Dans mon souci permanent de préserver la vraisemblance, je serais tenté de choisir la dernière hypothèse, qui me paraît la moins sujette à controverse. Certes, il est troublant que quelqu'un — Watson sans doute — ait déchiré ces pages. Cela semblerait indiquer que la deuxième version est la bonne mais, en l'absence de preuve tangible, l'auteur se refuse à cautionner pareille supposition.

7

Poussière mortelle

Au nom de tous les acteurs impliqués dans cette affaire, je crois pouvoir affirmer que nous eussions préféré un dénouement moins terrible que l'affreux spectacle qu'il nous fut donné de voir à Queensferry. Sherlock, qui d'ordinaire savait rester de glace quand j'étais pris de nausée, attendit pourtant le lendemain de ce samedi de sinistre mémoire, le dimanche soir donc, pour apporter un éclaircissement à l'énigme apparemment insoluble qui nous obsédait, McIntyre et moi.

J'avais cru que la fin tragique de l'affaire aurait quelque peu terni la satisfaction de Holmes d'avoir résolu le mystère. En réalité, s'il se montra ennuyé, ce fut seulement pour être si longtemps resté aveugle devant ce qu'il appelait maintenant l'«évidence».

« Tout était là, dit-il, depuis le commencement. J'aurais dû voir clair dès le premier jour, Watson, lorsque vous m'avez conté l'histoire de la malédiction pesant sur la famille Buchanan. J'aurais dû comprendre que, pour venger le meurtre de cette vieille femme, Dya, il fallait reproduire le même geste. C'est là que réside le premier indice : la femme étranglée avec ses propres cheveux !

« Cet indice m'a échappé. Chose plus impardonnable encore, il m'a échappé une seconde fois, dans les aveux de Hare et l'histoire du tombeau de Buchanan qui, rappelez-vous, était envahi par... des cheveux blancs ! Plus tard, Watson, vous m'avez désigné la solution du doigt — mais je ne l'ai pas vue. Dans un tiroir, vous avez trouvé un quignon de pain moisi, que vous avez pris pour une petite bête à fourrure. Or le *drab* n'est pas un poison, c'est une moisissure très rare dont les spores ont l'apparence d'une fine poussière. Elles peuvent être mélangées à des aliments, solides ou liquides, ou bien encore flotter dans l'air que respire la victime. Une fois dans les poumons, elles croissent et se transforment en longs filaments, semblables à des cheveux, qui provoquent l'étouffement —

votre "phtisie", Watson. Si je n'ai rien décelé d'anormal dans l'eau ramassée sur le sol de la cuisine, à Amherst Street, c'est parce que les spores étaient incorporées dans la poussière, que j'avais si scrupuleusement filtrée!

« Lorsque nous nous rendîmes à Queensferry, je n'avais toujours pas saisi la véritable nature du *drab*, qui n'est pas un poison conventionnel — pour la bonne raison que ce n'est pas un poison du tout! Notre périple avait un but fort simple. N'ayant pas vu Alexander reparaître, j'en avais d'abord conclu qu'il avait mené à bien sa mission. Notre longue et tumultueuse conversation de l'autre soir eut du moins le mérite de me fournir une parcelle de vérité — mais je ne sus l'interpréter! Je crus que, si je n'avais pu déceler aucun poison par l'analyse, c'était — contre toute attente — parce qu'il n'y en avait pas. Ainsi, Alexander aurait échoué et, s'il n'était pas revenu à Amherst Street, c'était uniquement parce qu'il en avait été empêché. Le souvenir de la blessure qu'il s'était faite à la tête vint corroborer cette hypothèse.

« Ce n'est que lorsque nous fûmes arrivés à Queensferry, et que McCrae nous apprit que le hangar avait servi à entreposer des bidons d'huile, que je fis le lien avec la boue visqueuse qui maculait le sol de la cuisine. Le reste de l'explication ne me vint qu'au vu du spectacle effroyable que nous découvrîmes au fond de la fosse. »

Quant aux circonstances du tragique accident, Holmes ne put formuler que des suppositions. Les débris que nous avions trouvés épars sur le sol de la cuisine, et que j'avais fidèlement reproduits sur mon croquis, suggérait que l'adolescent avait pu, malencontreusement, avaler quelques gouttes d'eau, lorsque le broc s'était renversé. Eau qui, du moins le pensa-t-il, contenait le "poison" — d'où son départ précipité de la maison, sans doute sous l'effet de la panique. D'où également le sinistre spectacle que nous avions aperçu dans le gouffre.

Le bâtiment désaffecté avait fourni une cachette commode pour le *drab*. En y retournant, Alexander avait choisi comme voie d'accès le trou dans le mur arrière, si bien qu'il n'avait laissé aucune empreinte au sol. Un faux pas l'avait précipité dans le gouffre béant. S'il n'avait pu se hisser à la surface, c'était sans doute qu'il s'était rompu une jambe — sinon les deux. Lors de sa glissade et de sa chute, dans la cuisine de

Buchanan, non seulement il avait avalé quelques spores, mais il en avait également maculé ses vêtements. En tentant de s'extirper, à la force des coudes, de cette affreuse prison de terre, il avait dû se frotter contre une surface où les spores s'étaient déposées — et développées avec exubérance. Envahi par une véritable forêt de tentacules, le malheureux mourut étouffé, dans des souffrances physiques et morales que l'on imagine aisément...

Il nous restait une ultime étape à franchir. Cette théorie, toute vraisemblable et rationnelle qu'elle nous parût, nécessitait encore de se voir confirmée par des preuves. Ce fut dans ce but que, à une semaine de là, nous nous rendîmes, Holmes, McIntyre, Buchanan, le docteur Joseph Bell et votre serviteur, aux laboratoires de chimie de l'Université. Holmes nous introduisit dans une petite pièce où nous découvrîmes cinq grands bocaux de verre en forme de cloches posés sur une paillasse. Trois d'entre eux étaient remplis de filaments blancs que j'identifiai spontanément comme des cheveux humains. Certains ne devaient pas mesurer moins de vingt-cinq centimètres !

« Le hasard, mes amis ! s'exclama Holmes. C'est le pur hasard qui a voulu que la boue filtrée par mes soins n'eût pas été mise au rebut. Le contenu de ces bocaux est le produit de la croissance des spores — et ce, après six jours seulement. J'ose à peine imaginer le résultat au bout de plusieurs semaines ! Le docteur Williamson, responsable du jardin botanique d'Edimbourg, a finalement réussi à identifier ce champignon : il s'agit d'une moisissure exotique fort rare, le *Mucor phycomyces*.

— Pourquoi deux bocaux sont-ils vides ? demandai-je.

— Les spores ont besoin d'humidité pour se développer. Depuis hier soir, ces deux récipients en sont privés.

— Mais... la moisissure s'est complètement évaporée !

— Pas *évaporée*, Watson. Les filaments d'apparence capillaire — les hyphae — ont certes disparu. C'est d'ailleurs la raison pour laquelle aucune autopsie n'a révélé leur présence, chez les victimes du *Mucor phycomyces*. Mais ils ont laissé des millions de spores, sous forme d'une très fine poussière. Or ce sont ces spores qui provoquent la mort. Voilà pourquoi Burke et Hare sortirent indemnes de leur rencontre avec le cadavre de Buchanan, au cimetière de Carlton. En revanche, l'air que respira Alexander dans le gouffre de Queensferry devait être chargé de ces particules microscopiques en suspension, qui lui furent fatales.

— S'il s'agit bien là du poison qu'on appelle *drab*, avança McIntyre, sa manipulation doit être extrêmement délicate... et périlleuse!

— Sans doute, sans doute, acquiesça Holmes. Ces spores ont une durée de vie considérable. Peut-être, pour les conserver, les incorpore-t-on dans une substance inoffensive, de l'argile par exemple. Il suffit ensuite, lorsque l'on désire libérer ces agents mortifères, de tremper la mixture dans de l'eau... »

Je regagnai Londres le lendemain. Holmes exprima le souhait de rester à Edimbourg quelques jours de plus. Il voulait demeurer auprès de Buchanan jusqu'à la date fatidique du 9 novembre — une précaution que j'estimai superflue, car il me semblait que notre ami n'avait plus rien à craindre. Par une ironie du sort, l'ultime victime de la malédiction des Buchanan fut donc non pas Athol Buchanan, mais son exécuteur potentiel! En outre, on connaissait dorénavant la véritable nature du «poison» ancestral. Toute la presse médicale se ferait l'écho de cette découverte. Aussi, à supposer que le *drab* frappe encore à l'avenir, ses symptômes très caractéristiques seraient immédiatement reconnus...

Si le 9 novembre se révéla bien une journée fatale, l'affaire toutefois ne concerna pas Athol Buchanan. A Londres, l'Eventreur frappa de nouveau. La victime, Mary Kelly, fut assassinée à son propre domicile. Tout son corps fut atrocement mutilé.

Holmes prolongea son séjour à Edimbourg jusqu'au 20 du mois, sans apporter la moindre justification à ce retour différé. L'avenir devait prouver que le meurtre de Mary Kelly aurait été le dernier d'une déjà trop longue série. L'assassin, pour le coup, ne fut jamais retrouvé, Quant à Athol Buchanan, ma narration sera achevée lorsque j'aurai dit qu'il épousa, en 1893, une veuve fortunée avec qui il émigra, deux ans plus tard, vers les Etats-Unis d'Amérique.

Table

Avant-propos 5

1. Quatre siècles de meurtres 9

2. Un poison légendaire 28

3. Un suspect tout trouvé 46

4. Une curieuse exhumation 64

5. Nuit de veille 83

6. La dernière victime 96

7. Poussière mortelle 115

SERIE

L'ÉTALON NOIR
WALTER FARLEY

ALICE ET L'ESPRIT FRAPPEUR
CAROLINE QUINE

MICHEL ET LES ROUTIERS
GEORGES BAYARD

LES SIX COMPAGNONS SE JETTENT À L'EAU
PAUL-JACQUES BONZON

ALFRED HITCHCOCK
LA BALEINE EMBALLÉE

En avant la lecture !

IMPRIMÉ EN FRANCE PAR BRODARD ET TAUPIN
Usine de La Flèche, 72200.
Dépôt légal Imp : 6181F-5 – Edit : 9905.
20-07-8788-01-0 – ISBN : 2-01-019642-2.
Loi n° 49-956 du 16 juillet 1949 sur les publications destinées à la jeunesse.
Dépôt : septembre 1992.

HACHETTE JEUNESSE
CREE

T A P E Z
36.15 HachetteL

Et retrouvez tout sur le CLUB Hachette Jeunesse Littérature.

Comment s'inscrire ?
Les activités et les avantages que propose le CLUB.
Des jeux, des concours avec des milliers de cadeaux à gagner.
Sur 3615 HachetteL, retrouvez également des informations sur les livres Hachette Jeunesse, les nouvelles parutions et demandez les catalogues des collections.

EN PLUS, LE CLUB EST GRATUIT !